Sur une petite musique de nuit

Isabelle D. Foret

Sur une petite musique de nuit

Roman

LE LYS BLEU
ÉDITIONS

*« Les premiers baisers sur les routes de campagne
valent bien de se casser la figure à vélo. »*
Pour Joseph

« S'embarquer. Sans protéger ses arrières. Courir tous les risques. Pour le défi. Pour le plaisir, surtout celui qui permet d'aller plus loin avec quelqu'un plutôt que nulle part avec tout le monde. »

Pierre Bourgault

Chapitre I

Charles est parti.

Il a embarqué ses valises et ses bouquins, loué son appartement à une vieille dame musicienne, détail important à ses yeux, et a disparu de ma vie pour deux ans, minimum.

On lui a offert un poste qu'il ne pouvait pas refuser : reporter-photographe au Québec, à Montréal.

Il va pouvoir continuer à écrire tout en vivant confortablement de sa passion.

J'ai le cœur vide et les jambes bien trop lourdes.

Je savais que ça arriverait un jour, il est bien trop intelligent, trop gourmand, trop curieux aussi pour faire du sur-place.

Je dois également avouer que je suis fière de lui, un peu comme une mère qui voit son fils prendre son envol ; et comme cette mère, j'ai la poitrine qui va exploser et les yeux brouillés de vouloir pleurer.

Il vient d'avoir cinquante-huit ans, un âge où on ne refuse rien, surtout pas une aussi merveilleuse opportunité.

Il me l'avait annoncé un soir, après l'amour, il y a tout juste un mois, comme on annonce un gros gain à la loterie, ou une naissance.

— C'est incroyable, tu t'en rends compte !

Il avait dit ça en souriant, déjà ailleurs, alors que je sentais le sol se dérober sous mes pieds.

Mais j'ai souri et l'ai félicité, je lui ai dit qu'il le méritait et je l'ai questionné longuement, pleine d'enthousiasme.

Oui, je suis heureuse pour lui, bien sûr, mais… je m'étais habituée à lui, à le voir de temps en temps.

Je suis seule, à nouveau.

Seule avec des cheveux blancs dissimulés par les colorations, des rides au coin des yeux et de l'arthrose dans les genoux.

Je suis presque vieille, je le sais, dans moins de dix ans, je ferai mon entrée dans le clan qui terrifie toutes les femmes : celui des sexagénaires, des trois fois vingt !

Pourtant, je n'ai toujours aucune envie d'abandonner l'idée d'aimer, je veux un homme à qui penser, un homme à caresser.

C'est comme si renoncer à l'amour m'ouvrait la porte vers la mort.

Je me vois déjà devenir la « folle aux chats » comme disent mes filles, l'excentrique, la solitaire, celle que l'on regarde avec un mélange de pitié et de mépris car elle a fait fuir tous les hommes, et que l'on visite de temps en temps, par compassion.

Charles est parti ce matin et j'ai pleuré toute la nuit, intérieurement.

Car aucune larme n'a pu sortir de mon corps, mes yeux sont restés secs.

Seule cette boule dans la gorge, qui m'empêche de manger depuis un mois, me prouve que je ne vais pas bien, et puis j'ai maigri, beaucoup trop.

J'ai envie de me hurler dessus, franchement, je m'attendais à quoi ?

Il va falloir que je me reprenne, que je retourne vers le bonheur, si j'en retrouve le chemin.

Mais pas tout de suite, je dois d'abord essayer de verser ces larmes qui m'étouffent, il faudra bien qu'il sorte, tout ce chagrin !

Ce matin, j'ai rendez-vous chez mon garagiste, pour l'entretien de ma voiture.

Ça me semble tellement simple et si banal à côté de ce que je vis, comme une route toute droite que je croiserais et qui n'aurait pas sa place sur mon chemin caillouteux bordé d'un précipice.

Pourtant, je me suis forcée à prendre une douche et à m'habiller avant de démarrer ; je n'ai toujours rien mangé mais je n'ai pas faim, la boule est là.

Arrivée au garage, je demande à la réceptionniste si je peux attendre sur place que ma voiture soit prête, une petite heure à ne rien faire ne me gêne pas, je n'ai envie de rien de toute façon et aucun projet en vue.

Je m'assieds sur un vieux divan à l'hygiène douteuse et je commence à regarder les voitures neuves, les gens qui vont et viennent, accaparés par leurs tâches, leurs soucis, leurs envies.

J'ai l'impression d'être sur le bord de la route, abandonnée comme un chien la veille des vacances.

Est-ce que quelqu'un va s'arrêter et me sauver, m'adopter peut-être ?

Pas ce petit jeune à la barbe noire et aux fesses trop larges en tout cas ni ce vieil homme qui semble avancer péniblement, sans doute pour éviter d'arriver trop vite au bout de son propre chemin.

Ma voiture est enfin prise en charge au bout de quinze minutes, l'huile va être changée et elle sera remise à neuf, elle va pouvoir rouler une année supplémentaire en pleine forme.

Bien dommage que je ne puisse pas bénéficier du même traitement : nettoyage en profondeur, énergie débordante et hop, c'est reparti !

Voilà enfin un homme, plus que séduisant, qui s'approche du comptoir, mais je n'ai pas droit à un regard.

Il faut dire que je ne dois pas être fort belle à voir, je n'ai fait aucun effort, comme tous les matins, depuis un mois.

Est-ce ma faute si je n'ai plus de goût pour le maquillage ?

Non, je ne fais que subir : on m'a abandonnée alors que je croyais être sur la bonne route, je me suis fourvoyée !

Je commence à me demander si mon indépendance et ma liberté n'étaient pas que des illusions.

Charles n'était peut-être qu'une béquille, une bien belle béquille d'ailleurs, mais qui m'empêchait de tomber.

Et là, il va falloir que je réapprenne à marcher, que je suive une rééducation complète.

Je ne veux pas renoncer à l'amour, non, mais je dois m'accorder un temps de guérison et de convalescence.

J'ai bien vu ce qu'il pensait quand il m'a annoncé la nouvelle, car si sa voix chantait, s'enthousiasmait, il y avait une lueur d'inquiétude dans son regard : va-t-elle crier, partir ou pire, pleurer ?

Un regard qui contenait clairement une pointe de pitié, celle que l'on a pour ceux qu'on a aimés un temps mais dont on a fini par se lasser : pauvre petite chose que je dois laisser, je t'aimais bien, tu sais ; mais là, c'est la chance de ma vie, que veux-tu que je fasse de toi…

Il me jetait sans un remords !

Une jolie femme vient d'entrer dans le hall, je devrais dire une dame car elle doit avoir un peu plus que mon âge.

Elle se tient droite et fière, élégante, une blonde décolorée, fort maquillée, avec des talons et une jolie robe, on dirait une vieille biche, pourtant je ne la trouve pas vulgaire.

Un grand sourire sur ses lèvres rouges, elle veut plaire à mon garagiste, ça se voit !

Il faut dire qu'il est plutôt pas mal : la petite quarantaine, le mètre quatre-vingts avec de beaux muscles saillants sous son tee-shirt, le genre beau brun à la page.

Je suis un peu jalouse, elle est plus âgée que moi et respire la jeunesse, je sens presque une odeur de pré fleuri à son approche, alors que moi… je dois sentir le chien mouillé.

Elle s'en va comme elle est entrée, tourbillonnante, les dents blanches en avant.

Ma voiture est enfin prête et je peux partir, je voudrais m'en aller vraiment, loin si possible.

Charles faisait partie de ma vie depuis si longtemps que j'en avais oublié ce qu'il était : un solitaire, un amoureux, un passionné, un libertin aussi.

Combien de fois n'avais-je pas retrouvé dans son appartement des objets abandonnés par quelques blondes ou brunes de passage ?

Notre liaison durait depuis quelques années et j'étais devenue une régulière, partageant des moments sensuels où chacun assouvissait les besoins de l'autre.

Je lui apportais la douceur et la dextérité de mes mains et de ma bouche, lui me donnait un peu de chaleur humaine, masculine.

C'est ça qui me manquera le plus : la rencontre avec sa peau, son odeur, le fait de me coucher tout contre lui.

Nous sommes au mois de mars et la nature se réveille… moi, on vient de m'expédier dans un sommeil profond !

Je me demande si je serai capable de la retrouver un jour cette chaleur, car c'est un froid glacial qui m'a envahie, qui engourdit chaque parcelle de mon être jusqu'à glacer mon cœur.

Mes filles ont eu le temps de grandir, de se faire une vie et de partir.

Je savourais cette liberté complète avec délectation, ne travaillant plus que quatre jours par semaine et partageant le reste de mon temps entre Charles, mes amies, et de trop courts séjours à la mer accompagnée de ma chienne, Lola, qui a vieilli au même rythme que moi.

Quant à Julie, mon amie de toujours, ma complice, elle a refait sa vie alors que je ne faisais que continuer la mienne.

Son grand amour a fini par faire ce qu'on ne croyait pas possible : revenir auprès d'elle !

Depuis deux ans, ils vivent ensemble et leur ménage ressemble à un immense champ de bataille où querelles et réconciliations se succèdent si vite que j'en ai perdu le fil.

Mais ils aiment ça, je crois, leur vie est animée et ils sont fous amoureux.

Je n'aurais jamais cru être la seule à me retrouver célibataire à plus de cinquante ans, et ça me laisse un goût amer en bouche !

Les fondements sur lesquels on base sa vie sont parfois bien fragiles, les voir s'écrouler nous place seul devant ce que nous sommes vraiment.

Et ce que je suis en cet instant, cette vieille chienne abandonnée, ne me plaît pas du tout !

Je me demande si je ne devrais pas me faire couper les cheveux, j'ai entendu dire que ça fait un bien fou quand on veut changer de vie (ou dans mon cas, quand on y est obligé).

J'ai toujours eu les cheveux longs, très longs même.

Quand j'étais enfant, ma chevelure était la terreur de ma grand-mère, trop fine, trop fragile, elle formait des boules à n'importe quel endroit de ma tête et il fallait couper dans le tas pour l'enlever.

À chaque séjour chez elle, elle m'emmenait chez le coiffeur et je me retrouvais avec une coupe courte, à la garçonne, que je détestais.

Aller jusqu'à la boulangerie acheter le pain du samedi était une torture. J'étais le plus souvent saluée par : et toi mon garçon, que veux-tu ? L'horreur !

Depuis j'ai toujours gardé des cheveux longs, ayant trouvé un style bien à moi, un peu bobo, presque hippie, traversant les modes.

Mais là, j'ai envie de tout changer, j'en ai marre de ma tête, j'en ai marre de ma vie, marre de tout !

À peine rentrée chez moi, j'envoie balader les clés de ma voiture à travers la pièce en hurlant.

— Maaaaaarre !

— Tout ça c'est ta faute, salaud !

La haine que je ressens soudain pour Charles me fait du bien, Monsieur est là dans l'avion, à se réjouir de sa vie future, ses pensées à mille lieues de moi.

Je crie encore.

— Espèce de sale lâcheur, égoïste !

Ma chienne me regarde avec ses yeux de velours, inquiète, et vient poser son museau humide sur ma jambe, ce qui m'apaise instantanément.

Je la caresse avec douceur en la rassurant, les animaux ont ce pouvoir merveilleux d'absorber nos larmes et nos peines.

Finalement, je n'irai pas chez le coiffeur, je n'ai aucune envie d'attendre des mois avant de retrouver une vraie longueur !

Je décide de m'analyser sans concession et je vais dans la salle de bains.

Je me déshabille et me regarde dans la glace.

Franchement, je ne me suis jamais trouvée belle !

Jolie, oui, si je me maquille correctement ou que le soleil a coloré ma peau, le bronzage me va bien et je peux alors me permettre d'être naturelle.

J'analyse le reste de mon corps : il arrive encore à défier le temps, grâce à un régime équilibré et aux heures de natation, grâce aussi aux lois de la génétique, pour ça au moins je peux remercier ma mère ; et même si en ce moment je vois plus d'os que de chair, je me sens un peu mieux… mais ça ne suffit pas.

Charles est certainement au-dessus de l'océan à cette heure-ci et je ne dois plus être qu'une brume de souvenirs dans sa tête.

Est-ce que j'avais un peu compté ?

Je l'aimais cet homme, je l'admirais surtout.

Il était si brillant et d'une beauté toute féline, presque paresseuse. J'avais eu un coup de foudre instantané et définitif en le voyant la première fois, et l'entendre parler de ses passions n'avait fait qu'ajouter à mon abandon.

Le fréquenter me permettait également de vivre comme je le voulais, c'est-à-dire libre et sans entrave ; je venais lui rendre visite quand j'en avais envie et il ne me demandait jamais rien.

Une liaison basée sur le plaisir, cachée du reste du monde.

J'ai pu travailler, élever mes filles à ma guise.

Ma cadette vient de partir et le voilà qui s'envole au bout du monde !

Le destin a décidé de me jouer un tour à sa façon, et j'ai beau me creuser la cervelle, je ne vois pas où il veut en venir.

« Lâche prise », me souffle ma petite voix intérieure.

OK, OK, je vais faire ça, mais d'abord je devrais dormir.

La chienne me tire dehors pour une dernière promenade avant que je ne m'écroule épuisée dans mon lit.

Je me lève le lendemain la tête vide et le cœur au bord des lèvres, sans aucun courage pour une journée supplémentaire.

Comment travailler dans ces conditions ? Comment bouger et sourire aux gens, faire comme si la vie continuait ?

Ce n'est pas moi, cette pauvre loque au fond de son lit, ce n'est pas possible, il faut que je me ressaisisse !

Après y avoir réfléchi, je décide de téléphoner au bureau et de prendre un congé, un très long congé (quatre mois !) qui englobe mes vacances d'été.

C'est ça ou je m'écroule, et ce n'est pas dans ma nature, je me suis toujours relevée de tout, ce n'est pas maintenant que je vais céder à l'appel de la dépression.

Je dois changer d'air, ne plus tourner en rond dans cette maison vide qui va me rendre folle.

Partir est la meilleure solution ; où, je ne sais pas encore, l'important étant de sortir de mes habitudes, de ma zone de confort qui est devenue aujourd'hui plus sombre que jamais.

Ma décision prise, je contacte ma fille aînée.

— Ma chérie, j'ai un service à te demander.

— Pas de soucis, maman, demande !

— Je voudrais partir un peu en vacances, pourras-tu t'occuper des chats ?

— Comment ça partir ? Tu vas où ? Toute seule ?

Mon aînée m'a toujours maternée !

Je lui explique gentiment que je prends des vacances avec un peu d'avance parce que je suis fort fatiguée, rien de grave, juste une lassitude, sans compter que si je ne le fais pas, je vais les perdre ces congés payés (ce n'est pas vrai mais elle ne peut pas le deviner).

Évidemment, elle s'affole, me demande où je vais, combien de temps, mais je la rassure très vite tout en évitant soigneusement de lui parler de Charles dont elle ne connaît de toute façon pas l'existence.

Il est inutile de l'inquiéter, je veux la laisser l'esprit tranquille sans qu'elle se sente coupable de ne pas être à mes côtés.

Ce n'est pas d'elle dont j'ai besoin en ce moment mais de silence, afin de retrouver une paix intérieure, de me retrouver.

Si je voulais rester fidèle à mes habitudes, je me réfugierais à la mer du Nord.

Cette dernière a toujours répondu présente quand il s'agissait de m'apaiser, d'enlever la toile tenace du stress et de la fatigue qui finit immanquablement par me recouvrir et m'étouffer.

La vie est souvent rude et quand je voudrais tant lâcher prise et vivre au jour le jour, je dois toujours planifier et me battre, c'est usant.

Pourtant, je sens instinctivement que je ne dois pas m'y rendre et que je dois changer de direction, radicalement !

L'Ardèche m'a toujours attirée, surtout pour ses forêts (être au milieu des arbres est ce que j'apprécie le plus avec le bord de mer), j'y étais allée une fois, dans un camping, afin de me rapprocher de ma cousine et sa famille ayant émigré là-bas.

Cette fois, je voudrais pourtant partir incognito, ne rien leur dire car je n'ai pas la tête aux réunions de famille ; j'ai juste envie de solitude, même si le fait de les savoir à deux pas me semble rassurant.

J'irai leur rendre visite à la fin de mon séjour, si séjour il y a, quand je serai redevenue humainement présentable.

Je m'imagine dans un joli chalet ou une vieille maison de pierre, au milieu des bois, entourée de châtaigniers.

Je prendrai ma chienne avec moi, bien sûr !

Je pourrai siroter mon café le matin sur la terrasse, écouter les bruits de la montagne, le chant des oiseaux… ah oui, vraiment, l'image me plaît !

Je décide de me lancer à la recherche de cet endroit rêvé sur mon ordinateur.

Je balaye sans remords les hôtels, les chambres d'hôtes, avec ou sans petit déjeuner, les locations au milieu des villages, aussi typiques et beaux soient-ils.

Il ne reste plus que trois propositions, dont une un peu trop onéreuse que je laisse de côté.

Premier coup de fil et première déception : le chalet coquet que j'ai repéré et espéré n'est plus libre.

Je tente ma chance avec la jolie maison mais là encore je dois déchanter : il n'y a pas de salle de bains et il faut rejoindre celle des propriétaires pour se laver.

Reste la plus petite, trop chère, mais bénéficiant d'une situation idyllique.

Elle se trouve au milieu de la fameuse châtaigneraie dont je rêve et possède un étang de nage naturel.

Qui plus est, de la terrasse, on peut contempler les montagnes.

Je ne pourrai pas trouver mieux !

Comme chaque fois que j'ai dû prendre une décision importante, je préfère laisser passer une nuit, je trouve que le sommeil apaise le mental et rend les idées claires.

Le soir venu, je vais me coucher sagement, mais en ayant pris soin de téléphoner d'abord à la propriétaire qui me confirme que la maison est libre (si ça, ce n'est pas un signe !) et note mon option pour vingt-quatre heures.

Je me réveille le lendemain, surexcitée, sautant du lit comme un clown hors de sa boîte et tournant en rond pendant une heure en attendant de pouvoir réserver.

Une fois que c'est fait, je raccroche le téléphone avec un immense sourire, le premier depuis un mois !

Je prends le temps d'admirer ma résilience avec une pensée reconnaissante pour ma mère qui m'a toujours mené la vie dure : avoir appris à marcher et me relever quoiqu'il arrive, ça m'a forgé un sacré caractère finalement !

— On fait les bagages, Lola !

La chienne se lève en balançant la queue, heureuse d'entendre que ma voix a changé.

J'en ai presque oublié Charles, presque…

Chapitre II

La route est longue jusqu'en Ardèche, bien plus longue que je ne l'imaginais.

Le GPS m'indique qu'il reste six heures de route et je commence à avoir faim.

Lola dort dans sa cage de transport, assommée par les cachets contre le stress que je dois lui donner à chaque voyage.

Je voudrais au moins dépasser Paris avant de m'arrêter pour manger.

Je suis sur la route des vacances, mais sans vacanciers !

Juste moi… et beaucoup de camions qui, comme d'habitude, monopolisent la première bande.

Je déteste les camions, ils me font peur : leur façon de dépasser en mettant leur clignoteur à la dernière seconde a le don de me mettre hors de moi !

Là pourtant, je les remarque à peine ; je rêve de la petite maison que je viens de louer, de la montagne, j'imagine ce que je ferai en arrivant.

Les jointures de mes doigts blanchissent à force de serrer le volant mais j'ai décidé de tenir bon, avec l'aide de nombreux cafés j'avoue !

Des tas de gens font ce trajet chaque année, je ne vois pas pourquoi je n'en serais pas capable.

Ce n'est quand même pas la première fois que je pars vers le Sud, même si c'est la première fois toute seule.

Conduire si longtemps est un challenge.

Je me demande si Charles aurait apprécié ce voyage ?

Probablement pas, nous n'avons d'ailleurs jamais passé plus de deux, trois heures ensemble.

Et si nous parlions un peu avant et après l'amour, on ne peut pas dire que nous ayons eu de longues conversations.

Je me suis, de toute façon, toujours sentie un peu idiote à ses côtés.

Je l'ai toujours considéré comme un être supérieur, pouvant disserter des sujets qui le passionnent avec tellement d'emphase que je parie qu'il pourrait rendre intéressante la description des toilettes !

Je l'imagine en train de vanter les mérites de son papier ultradoux en souriant malgré moi puis je me reprends vite en me souvenant que ce pourri m'a quand même abandonnée !

Je sais bien qu'il ne m'appartenait pas, mais enfin, il me semble qu'après autant d'années à se fréquenter, il avait tout de même un devoir moral envers moi !

Mais qu'est-ce que je raconte ? Un devoir ?

Comme si le sexe légitimait la dépendance de l'autre !

C'est encore moi qui délire, je m'en rends bien compte, je cherche le coupable de mon naufrage.

Les hommes ne se posent pas autant de questions que nous, j'imagine.

Mais tout de même, comment un homme comme lui, aussi gentil, peut-il être aussi indifférent ?

Je suis dégoûtée…

J'ai vraiment besoin de vacances, de prendre le temps de voir où je vais, ce que je veux faire de ma vie, du moins de la dernière partie de celle-ci, car ce n'est pas comme s'il me restait la vie entière et je n'ai plus envie de me tromper !

Une aire d'autoroute me permet de faire enfin une pause et de sortir la chienne qui émerge doucement de son brouillard.

Je m'en veux un peu de la droguer ainsi, mais c'est ça où elle passera tout le trajet à vomir de peur.

Elle a une bonne raison pour ça, elle ne fait que subir un stress post-traumatique.

Paul me l'avait offerte il y a quelques années.

Paul c'est l'homme que j'ai connu après Charles, et avant que je ne retourne auprès de Charles ; je sais, ma vie a été un peu compliquée.

Il avait des tas d'animaux et j'ai toujours pensé, en l'observant, qu'il aimait plus les bêtes que le genre humain (ce en quoi il m'arrive souvent de lui donner raison, j'avoue !)

Paul sauvait régulièrement des chiens ou des chats malmenés par la vie et leur trouvait un foyer, il m'avait offert Lola dès que je l'avais vue, craquant complètement pour cette petite boule de poils noirs aux yeux de velours.

J'avais gardé la chienne, pas l'homme qui s'était avéré destructeur pour moi.

Je l'avais prise en charge de toute mon âme, j'avais suivi des cours d'éducation avec elle et lui avait donné le plus d'amour possible, mais je n'avais jamais pu lui rendre une sérénité qu'elle semblait avoir perdue lors de son abandon.

Je n'avais pu découvrir son histoire que plus tard, en recoupant divers témoignages, grâce aussi à une connaissance qui avait récupéré sa jumelle, perdue dans les rues de la ville le même soir, et ayant trouvé un témoin de la scène.

Il avait découvert qu'une voiture s'était arrêtée ce soir-là et que le conducteur avait jeté (oui jeté !) plusieurs chiots identiques par la fenêtre de son véhicule !

Il en avait récupéré un, une dame un deuxième (Lola), mais le reste de la nichée avait disparu dans la nature.

En sachant cela, je lui pardonne volontiers sa névrose.

Après plusieurs heures de route, nous avons besoin toutes les deux de nous dégourdir les jambes, et les pattes.

Je profite des merveilleux sandwichs desséchés vendus dans l'échoppe de la pompe à essence et des toilettes publiques (profiter étant un grand mot au vu de l'hygiène toute relative des lieux).

Nous reprenons la route après vingt minutes, rassérénées.

J'ai pris une grosse provision de caféine et fait le plein d'essence.

Je mets le volume de l'autoradio le plus fort possible sans massacrer les oreilles de la chienne et démarre en chantant les mélodies qui me donnent la pêche : U2, Indochine et d'autres groupes de mes vingt ans.

La route défile, Lola s'endort et je roule pendant trois heures.

Un besoin urgent (les effets des litres de caféine, je suppose) m'oblige à m'arrêter sur une aire boiseuse où je me réfugie dans un bosquet afin de me soulager.

C'est amusant, ça me rappelle ces moments où je faisais de même petite fille, sans arrière-pensées, sur le bord des routes.

Je m'agenouille donc dans la position la moins avantageuse possible pour une femme, tant pis « À la guerre comme à la guerre » comme disait ma grand-mère !

Ce n'est qu'en me relevant que je découvre un homme qui me dévisage en souriant, amusé et pas gêné du tout de m'avoir surprise.

Je deviens cramoisie et j'appelle Lola comme si je ne faisais que la promener, sachant très bien que je ne sauve guère les apparences, ce type a tout vu !

Qui plus est, il n'est pas mal du tout, le genre mauvais garçon que j'adorais dans ma jeunesse : de longs cheveux bouclés, une peau métissée, un tatouage ethnique sur le bras et des yeux d'un bleu perçant comme ceux d'un rapace.

Il continue de me regarder, appuyé sur une moto splendide, visiblement conscient de me mettre dans l'embarras.

J'imagine qu'il part aussi en vacances, en road-trip peut-être, j'imagine aussi ce que ça me ferait de voyager sur un engin pareil, appuyée contre le dos large d'un homme aussi beau.

Je souris bêtement à l'idée puis je me reprends, l'homme me regarde toujours et je rougis encore plus en me disant qu'il va prendre mon sourire pour une invite.

Je fonce vers ma voiture, remets Lola dans sa cage et démarre sans un regard en arrière.

Je suis en colère contre moi-même, contre cet inconnu qui semble n'avoir qu'une notion très relative du respect de l'intimité et contre Charles qui est finalement le responsable de tout ça !

Comment se fait-il que les hommes aient un tel pouvoir sur les femmes ?

Ils contrôlent nos humeurs. D'eux dépend le fait que l'on se sente bien ou mal !

J'en ai un peu marre de cette dictature que par ailleurs, la majorité des femmes s'imposent et acceptent !

Je note au passage que celles qui s'en sont libérées sont, pour la plupart, célibataires.

Est-ce le prix à payer ?

Charles n'était pourtant pas ainsi : pas de demande ni d'exigence, j'étais libre comme l'air.

Il n'a sans doute jamais imaginé que je puisse avoir des sentiments pour lui…

J'ai toujours été douée pour dissimuler mes pensées profondes et je voulais le garder, faisant comme s'il n'était qu'un agréable passe-temps coquin, une parenthèse ponctuelle et sensuelle dans ma vie.

C'était le cas, j'en conviens, mais je l'aimais sincèrement, même si ces derniers mois, notre relation s'était transformée en quelque chose de plus tendre et amical.

C'était grâce aux sites de rencontres que j'avais fait sa connaissance, une belle surprise après bien des déboires !

J'avais fini par le fuir, n'acceptant pas son libertinage, sa vie sexuelle débridée : devoir le partager avec toutes les jolies nanas le croisant était au-dessus de mes forces.

J'étais pourtant revenue après quelques années, changée, éprise de liberté et d'indépendance, franchement dégoûtée aussi des relations de couple et l'acceptant tel qu'il était.

Notre liaison aura duré un certain temps, trop court, pour moi en tout cas…

La fatigue me surprend après avoir dépassé Lyon et je dois chercher une chambre pour la nuit.

Les B & B pullulent dans le coin et je n'ai aucun mal à en trouver un qui accepte ma chienne.

Je suis reçue merveilleusement et j'opte pour le panier-repas en chambre proposé par l'établissement, n'ayant aucune envie de passer une soirée à discuter ; je préfère mon dialogue intérieur, même si celui-ci ne fait que ressasser ma relation passée.

D'ailleurs, que pourrais-je répondre à un « Vous partez en vacances ? »

Vous me voyez dire « Non, mon amant est parti au bout du monde et j'ai besoin de faire le point sur ma vie sentimentale complètement ratée ! »

Heureusement, le repas est incroyable : une salade estivale garnie de tomates sucrées, d'olives et de fruits secs accompagnée d'une baguette dorée, de tapenade et d'une petite bouteille de rosé frais qui a vite fait de me réconforter.

Je fais le bilan de cette première journée sur la terrasse privative de ma chambre avec la tentation de rester ici.

Mais une B & B pour quatre mois, je n'en ai pas les moyens, sans compter que j'aspire à être dans la montagne, au milieu des arbres.

Je refuse de mettre une étiquette du genre « fuite » sur ma journée, je préfère la nommer « chasse au trésor » même si je sais que je n'en suis qu'au début.

Mon trésor tant convoité sera d'avoir retrouvé le bonheur, peu importe la forme qu'il prendra, j'ai quatre mois, cent vingt-deux jours pour être exacte, pour y arriver et pas un de plus, le premier s'achève.

Je sombre doucement dans un sommeil où mes rêves m'emmènent auprès de Charles faisant de la moto, moi courant derrière lui avec Lola pour le rattraper et où, finalement, le bel inconnu métissé se substitue à lui et s'éloigne, non sans m'avoir envoyé un baiser de la main, le tout sur fond de criquets qui crissent et ricanent.

Je me réveille brusquement, soulagée de revenir à la réalité.

Le temps d'émerger, je me sens parfaitement heureuse, blottie dans les draps, même si ce bonheur ne dure que quelques fractions de seconde, la colère et la tristesse reprenant le dessus.

Je dois m'obliger à focaliser mon attention sur le but que je me suis fixé, à savoir arriver en Ardèche.

C'est reparti pour un long trajet, le paysage se transformant doucement au gré des kilomètres, la plaine faisant place aux collines puis enfin, à la montagne.

J'entame la fin de mon périple.

Chapitre III

Des sapins, énormes, bordent le chemin de terre que je dois emprunter pour arriver à destination.

Je prends le temps de m'arrêter pour ramasser une pomme de pin, la plus grosse que j'ai jamais vue, puis je continue la montée, doucement.

J'arrive devant la petite maison en pierre où la propriétaire m'attend, avertie de mon arrivée par mon SMS quinze minutes plus tôt.

Elle m'accueille avec un sourire lumineux qui fait chaud au cœur.

— Bonjour, Dana ! Bienvenue, c'est moi qui vous ai répondu, je suis Grâce.

Un prénom qui lui va à ravir.

Son visage est buriné par le soleil et traversé par de jolies rides du sourire, elle a de longs cheveux blancs vaporeux qui lui caressent le bas du dos.

Je suis bien incapable de lui donner un âge, elle pourrait avoir cinquante ans comme avoir atteint les soixante-dix.

Elle est vêtue d'une longue jupe à fleurs et parée d'un superbe collier d'améthyste.

J'avais oublié combien les habitants des montagnes de l'Ardèche aiment ce style hippie, ma cousine étant leur représentante parfaite.

J'ai un élan spontané vers elle.

— Bonjour, merci, c'est vraiment magnifique ici, dis-je enthousiaste.

Je fais descendre la chienne qui se dirige tout de suite vers la châtaigneraie en titubant encore un peu.

— Vous avez fait un bon voyage ?

Je sens la question sincère, qui demande une réponse tout aussi franche et non pas conventionnelle.

Je lui raconte mon périple, le merveilleux B & B, mais j'évite soigneusement de parler de l'incident avec le motard trop curieux.

— Venez, me dit-elle, faisons le tour du propriétaire.

La maison, moins petite qu'elle ne semble de l'extérieur, est composée de pièces aux dimensions modestes mais très chaleureuses.

Toutes les portes donnent sur le salon qui se trouve être la pièce centrale de la maison où une immense cheminée en bois et pierre trône en maître.

Les meubles sont tous en bois naturel, la décoration est abondante : des tissus colorés sont posés partout ainsi que des lampes de sel et des figurines de lutins et de fées.

Des peintures de mondes féériques accrochés aux murs rendent l'atmosphère encore plus feutrée et mystérieuse.

Quelques carillons se balancent doucement au gré du vent sur la terrasse attenante au salon, apportant une note magique à l'ensemble, tandis que des hamacs disséminés dans la châtaigneraie invitent au farniente.

La salle de bains est sublime, complètement décorée du sol au plafond avec de petits carrés de mosaïque dans différents tons de bleu formant un décor aquatique.

Grâce m'explique avoir réalisé le tout elle-même, seule, au fil des années, chinant sur les marchés des tasses et assiettes qu'elle cassait et assemblait méticuleusement au gré de son inspiration, à l'époque où elle vivait encore dans la maison.

Je demande, étonnée.

— Vous avez vécu ici ?

— Oui, j'ai acheté la maison il y a longtemps. Je venais de divorcer et j'avais besoin d'un pied à terre où me reposer. Je travaillais encore à Paris à cette époque. Maintenant, je vis ici, me confie-t-elle en souriant.

Elle continue en me faisant un clin d'œil, encouragée par mon intérêt.

— C'est ici que j'ai rencontré Lucas, mon second mari. Nous vivons maintenant dans sa maison et je loue celle-ci ponctuellement.

Je lui souris chaleureusement.

— Votre histoire est merveilleuse !

Et si une pointe d'envie me traverse, je suis sincèrement heureuse pour elle… au moins une qui s'en est sortie !

Grâce me désigne par la fenêtre la piscine naturelle bordée d'une grande terrasse en bois, précisant que les transats et les coussins sont rangés dans le petit abri.

Elle m'explique rapidement le système d'épuration de l'eau par les plantes grâce aux deux bassins supplémentaires, tout en me recommandant de ne jamais m'y baigner avec des produits sur le corps.

— Ça pourrait intoxiquer les crapauds qui y vivent, me dit-elle avec un clin d'œil.

Nous continuons la visite : Grâce pousse une porte permettant un passage direct à la chambre.

Un énorme lit à baldaquin trône au milieu de la pièce, décoré d'un boutis matelassé et de coussins moelleux bordeaux et orange.

Un hamac suspendu par un crochet s'est invité dans l'espace, le rendant encore plus cosy.

C'est simple et chaleureux, je suis conquise et l'avoue spontanément à Grâce, j'adore sa maison !

Nous retournons dans l'entrée où elle me confie les clés.

— Vous voici chez vous ! Si vous voulez, je peux vous proposer des paniers-repas pour le dîner et je peux y ajouter le petit déjeuner, ça vous évitera de descendre au village.

J'accepte avec soulagement, il est vrai que j'ai fait quelques courses avant de monter ici mais je n'ai pas grand-chose, cette solution est la plus facile pour moi.

Grâce me laisse ses coordonnées en m'expliquant qu'il vaut mieux utiliser la ligne fixe étant donné qu'ils n'ont pas de réseau ; tant mieux, vivre dans une maison sans ondes me plaît, et je vais pouvoir enfin me désintoxiquer des réseaux sociaux.

— Rassurez-vous, il y a la télévision satellite, ici il faut pouvoir s'occuper en cas de mauvais temps.

J'embrasse chaleureusement Grâce qui me précise que mon panier-repas sera livré vers 18 h.

Elle monte sur sa mobylette, la meilleure façon de circuler ici d'après elle, et s'éloigne sur le chemin de terre.

Lola ne m'a pas quitté d'une semelle durant toute la visite et c'est ensemble que nous allons nous installer sur la petite terrasse aux carillons, où je m'affale dans un gros fauteuil en cuir moelleux.

La vue sur la montagne est unique et je me laisse bercer par les bruits de la forêt : criquets, oiseaux et insectes volants et vrombissants donnant leur concert journalier.

C'est un bruit apaisant, loin de l'agitation humaine, et tout naturellement je m'endors en souriant, satisfaite d'être arrivée et complètement rassurée par tout ce que je viens de voir.

Je suis réveillée par Lola qui aboie, m'avertissant que quelqu'un approche de la maison.

Je reconnais le bruit de la mobylette de Grâce, mais c'est un jeune homme d'une vingtaine d'années qui s'arrête devant moi.

— Bonjour, je suis Léo, le fils de Grâce et Lucas.

Il me tend le panier-repas avec un sourire puis fait demi-tour et s'en va immédiatement en répondant un « Yep » enthousiaste à mon merci.

Pour ce premier soir, un repas de pâtes complètes m'attend, avec des courgettes et de petites tomates parsemées d'ail et de persil, de la feta et une incroyable sauce au miel et au vinaigre balsamique.

Une bouteille de vin du pays est posée dans le panier avec un mot : « Bienvenue » signée, Grâce et Lucas.

Je sens que je vais les aimer ces gens-là !

Ma première douche dans la salle de bains aquatique achève de m'assommer et je m'écroule dans le grand lit, protégée par une moustiquaire fluide, Lola à mes pieds.

Des « cri cri » insistants me réveillent.

Surtout ne pas bouger, ne pas ouvrir les yeux de suite et savourer l'instant.

Mais la chienne a perçu mes mouvements furtifs et est déjà debout à tourner comme un diable.

Je me dépêche de lui ouvrir la porte du jardin où elle court comme une folle, ravie de se dégourdir les pattes et de se mettre à chercher dans la châtaigneraie l'endroit qui fera son bonheur.

Je rentre sans m'inquiéter, je sais que jamais elle ne s'éloignera même si un animal apparaît, sa peur de me perdre est plus forte que tout.

La cuisine, suréquipée, me permet de me faire un expresso de qualité que je bois doucement sur la terrasse en savourant les petits pains de mon panier-repas et le miel chaud, qui n'a vraiment rien à voir avec celui que l'on trouve dans les supermarchés.

Je me demande à quoi je vais occuper mon temps.

Je sais que je vais beaucoup lire, bien sûr, et écrire aussi.

Je devrais également faire un peu de marche, ce serait dommage d'être dans un endroit aussi magnifique et de ne pas en profiter.

Je regarde Lola qui est revenue essoufflée.

— Qu'en dis-tu, ma belle ? Un peu de sport, ça nous fera du bien, je dois remuscler tout ça, dis-je en tâtant mon postérieur.

Je préfère cependant attendre de revoir Grâce pour lui demander des conseils, connaître les endroits à visiter ; pas question de partir à l'aveuglette dans les montagnes même si j'ai une carte et une boussole.

Je sais que je peux être imprudente, mais là ce serait de l'inconscience !

Je suis peut-être désespérée par le départ de Charles (tiens, tiens, je n'ai plus pensé à ce salaud depuis mon arrivée) mais pas au point de risquer ma vie !

D'ailleurs, il ne m'est arrivé que de bonnes choses depuis que j'ai décidé de faire ce voyage (si je fais abstraction du motard bien sûr) et mon instinct me dit que ce n'est pas fini.

Je passe cette première journée tranquillement, encore fatiguée par mon voyage.

Je bouquine et j'essaie tous les hamacs de la châtaigneraie, décidant que le rouge du fond est mon préféré : il surplombe la propriété et couchée dedans je peux voir la montagne, la maison, et surveiller en même temps le chemin de terre.

Je peux aussi regarder la chienne courir dans tous les sens en revenant régulièrement vers moi, la langue pendante, l'air de dire : « Allez viens, c'est génial, viens jouer avec moi, c'est super ici ! »

Je ris mais je préfère rester dans le hamac, à la regarder renifler partout, s'approprier les lieux joyeusement comme seul un chien peut le faire, ou alors un petit enfant.

Je me souviens que je faisais ça, petite : courir partout comme un cabri.

Prise de joie, ou de folie allez savoir, je me lève et je suis Lola dans la châtaigneraie en courant, hurlant, criant ma joie et riant à gorge déployée, tout en priant que personne ne déboule du chemin de terre maintenant !

L'après-midi touche à sa fin et j'entends le vrombissement déjà familier de la mobylette, Grâce apparaît, le panier attaché sur le porte-bagages.

— Tout va bien ? me demande-t-elle.

Je lui réponds un grand « Ouiii » avec un immense sourire, soulagée j'avoue qu'elle ne soit pas arrivée cinq minutes plus tôt.

J'imagine assez bien que ma tête puisse inquiéter : je ne suis pas maquillée du tout et mes cheveux sont attachés en un chignon approximatif, ma course dans le bois le faisant pendre lamentablement avec des mèches folles de tous côtés.

Tant qu'elle ne se penche pas vers moi d'un air inquiet en disant « Ma pauvre petite », c'est que j'ai l'air de tenir encore un peu la route !

Elle sort du panier deux bières fraîches et me les montre, triomphante, comme si elle m'apportait le Saint Graal, nous nous installons sur la terrasse d'un commun accord.

Nous parlons de tout et de rien et je finis par lui confier, l'alcool aidant, la raison de mon voyage : le départ de Charles.

J'ai besoin d'en parler à quelqu'un, je n'ai pas voulu inquiéter mes filles avec mes histoires de cœur ni mon amie Julie qui a d'autres chats à fouetter avec ses problèmes de couple.

Du coup, j'ai droit à un « ma pauvre », Grâce m'épargnant le « petite », mais il est vrai que je ne suis plus de première jeunesse.

Elle ne me parle pas ainsi par pitié mais par empathie, elle a vécu une situation similaire puisque c'est ici qu'elle est venue se réfugier après son divorce.

Je ne veux pas paraître indiscrète et ne lui pose aucune question alors que je brûle de savoir comment elle a rencontré Lucas, son second mari Ardéchois.

Je n'apprendrai rien aujourd'hui.

Tout naturellement, le tutoiement s'est installé pendant notre conversation.

Elle se lève et m'explique.

— Je t'ai préparé des poivrons farcis végétariens, tout est cuit, tu dois simplement les réchauffer à four très chaud pendant quinze minutes.

Mmm, je sens que je vais encore me régaler, cette femme est un cordon-bleu !

Avant qu'elle ne parte, je lui confie mon envie de balades.

— Passe à la maison demain matin, puis elle ajoute, si tu as le temps…

Elle plaisante, j'imagine, je suis loin d'être débordée.

— C'est la deuxième maison à main gauche quand tu descends vers le village, j'ai tout ce qu'il te faut, c'est le coin de randonneurs ici !

Elle s'en va en me faisant de grands signes, ses longs cheveux blancs décorés de rubans bleus volant dans son dos au rythme des balancements de la vieille mobylette.

Je me demande si je n'arrêterais pas de me teindre les cheveux moi aussi, mais je ne suis pas certaine que ce genre de coiffure soit tendance chez moi.

Ce qui est cool et superbe dans les montagnes de l'Ardèche aura l'air ringard et mal soigné, négligé, du genre « la vieille qui a oublié le chemin du coiffeur » dans une grande ville.

Pfff que c'est bête de se laisser influencer par la mode comme ça !

Je regarde par la fenêtre de la cuisine pendant que mon repas chauffe dans le four.

J'aperçois le sommet de la montagne voisine, les arbres mêlés aux sapins formant un mélange de verts de dizaines de tons différents. Pas une maison en vue, pas une route, la nature couvre tout, cachant toute trace de civilisation pour mon plus grand bonheur.

Il me semble entendre au loin un son étrange, guttural, sorti de je ne sais quel instrument inconnu ; ça ne peut pas être un animal qui pousse un cri pareil !

Il doit y avoir d'autres habitants de l'autre côté de la montagne, forcément, je ne suis pas en Amazonie.

La soirée est douce, un peu froide et je me réfugie devant la télévision pour dîner.

J'allume un feu de bois et j'en oublie l'écran tant le spectacle des flammes est hypnotique et apaisant.

Une journée réussie, et je n'ai pas pensé à Charles, sauf quand je me suis confié à Grâce bien sûr.

Pas de réseau donc pas de mail de toute façon, il m'en a peut-être envoyé un du genre « Je suis bien arrivé, tout va bien, bisous », ce qui serait la moindre des choses quand même quand on a passé autant de temps avec quelqu'un !

Hé voilà, j'y pense à nouveau…

Je m'efforce de replonger dans la quiétude en fixant le feu mais c'est trop tard.

Je vais me coucher contrariée, ça prendra du temps, je le savais.

Le lendemain, j'arrive chez Grâce en fin de matinée, Lola sur les talons.

Je ne sais pas à quelle heure on se lève dans le coin, 11 h me semble correct pour une visite, après tout elle m'a dit de venir le matin, c'est quoi le matin pour des Ardéchois ?

La maison est facile à trouver : la mobylette est garée devant, m'indiquant le bon endroit.

La porte est ouverte et j'entre en frappant avec un timide :

— Il y a quelqu'un ?

— Oh, salut !

Léo est venu m'accueillir avec son sourire habituel, et me fait entrer dans la cuisine où Grâce et son mari sont en train de couper d'innombrables légumes colorés : courgettes, aubergines, tomates sur lesquels je louche… serait-ce mon dîner ?

— Viens entre, me dit Grâce, je te présente mon mari : Lucas.

Je découvre enfin cet homme, immense, les épaules carrées avec des cheveux aussi longs et aussi blancs que ceux de sa femme.

La seule différence est qu'il les porte en queue-de-cheval.

On dirait des jumeaux !

Il paraît que les gens qui vivent ensemble depuis longtemps finissent par se ressembler… ou est-ce les chiens et leur maître, je ne sais plus.

Quoiqu'il en soit, ils sont beaux tous les deux et je sens le lien très fort qui les unit quand je les vois échanger un sourire complice.

Lucas se lève et m'accueille avec un immense sourire, ça doit être une espèce de tradition dans cette famille : le grand sourire tout blanc, et me fait trois bises sonores sur les joues.

Mon amie, je suppose que je peux me permettre de l'appeler « mon amie » même si je ne la connais que depuis trois jours, c'est la seule à qui je parle après tout, m'entraîne dans le salon où elle a préparé des tas de prospectus touristiques.

Elle m'explique que si je veux partir en voiture, il y a des tas d'endroits magnifiques à découvrir comme l'incontournable « Pont d'Arc », symbole des célèbres gorges de l'Ardèche, la ville d'Aubenas bien sûr, qui est quand même, excusez du peu, la capitale culturelle de l'Ardèche et que je compte bien visiter pendant mon séjour.

Une brochure m'attire, parlant d'une source intermittente, véritable geyser jaillissant quatre fois par jour au cœur de Vals-les-Bains.

Il y a encore des tas de villages, plus magnifiques les uns que les autres, comme Balazuc, Vogüé, Alba-la-Romaine et j'en passe.

Grâce me recommande vivement le « Mont Gerbier-de-Jonc », un célèbre volcan d'où partent trois sources de la Loire et qui est un lieu magique selon elle.

Mais je n'aurai pas le temps de tout voir, et de toute façon, je ne suis pas venue ici pour faire du tourisme, même si je ne l'exclus pas complètement.

Cependant, faire des promenades à pieds dans les environs me tente bien plus, mais pour ça, il vaut mieux suivre les chemins prévus à cet effet.

En effet, m'explique-t-elle, il n'est pas rare que l'hélicoptère doive intervenir pour aller chercher des randonneurs imprudents qui se sont perdus ou pire, blessés.

Elle m'a préparé une carte où elle a surligné dans différentes couleurs les balades tout près de chez moi en fonction de la difficulté, allant de la simple promenade de 3 ou 5 km à la randonnée plus longue jusqu'à 20 km avec des parcours de montagne.

— La plus jolie et reposante c'est celle-ci, me dit-elle, elle serpente une rivière, tu dois monter un peu et tu arrives dans un endroit où l'eau forme un petit étang. Léo y va souvent pour s'y baigner, personne ne connaît l'endroit, si tu veux il te montrera le chemin.

Génial, un endroit secret, j'adore l'idée même si c'est un peu tôt dans la saison pour se baigner, mais il paraît que l'eau froide raffermit les chairs, voilà qui devrait me faire du bien !

Je range le tout dans mon sac en la remerciant et nous allons dans la cuisine rejoindre Lucas.

J'entends les aboiements joyeux de Lola qui s'est fait un nouvel ami : elle court après la balle de tennis que Léo lui lance sans relâche dans le jardin.

C'est un long jardin à plusieurs paliers renforcé par de grosses pierres grises. Le palier du dessus contient le potager où pousse un incroyable assortiment de légumes et de plantes aromatiques que Grâce me montre avec fierté.

— C'est la passion de Lucas, le jardinage et la cuisine de ses produits, me confie-t-elle, c'est ainsi que nous nous sommes rencontrés.

Ohh, une pièce du puzzle mystérieux de leur rencontre vient d'être posée.

Je leur propose de les aider en leur expliquant que j'adore aussi cuisiner même si je n'ai malheureusement aucune imagination dans ce domaine, je me contente de suivre les recettes.

— C'est déjà beaucoup, me disent-ils de concert.

La journée avance et je dois prendre congé, non pas que j'en ai envie ou que j'ai quelque chose à faire mais la politesse m'oblige à ne pas m'imposer.

Avouez que c'est quand même étonnant, je passerais volontiers la journée à leur côté alors que je suis venue ici pour vivre une espèce de retraite solitaire.

C'est peut-être bon signe cette envie de compagnie ?

Léo me suit jusqu'au-devant de la maison et me demande :

— Si vous voulez, je peux venir promener Lola de temps en temps ?

Je comprends qu'il en a vraiment envie, il semble s'être pris de passion pour la chienne et j'accepte avec plaisir.

— Ce ne sera pas avant le week-end prochain, répond Grâce qui vient de nous rejoindre, il retourne à l'internat ce soir, l'année scolaire n'est pas finie !

Je m'éloigne en leur faisant de grands signes.

La route est bien plus difficile pour le retour, ça grimpe et j'ai mal aux cuisses, je réalise que j'ai intérêt à commencer mes balades par les plus modestes.

Chapitre IV

Étant donné que Léo est reparti dans son école et ne pourra pas me montrer le chemin du fameux coin de baignade secret, je décide, les jours suivants, de commencer mes balades par celles recommandées par Grâce.

Sa carte aux chemins colorés m'aide beaucoup et c'est un bonheur de parcourir la forêt.

Même si après deux jours, j'ai du mal à m'endormir tant mes jambes travaillent et me font mal, je découvre avec étonnement des muscles dont je ne soupçonnais même pas l'existence !

Mais je suis têtue et je persévère.

La nature est magnifique, sauvage, loin des jardins et même des forêts que l'on trouve près de chez moi.

À part dans les Ardennes, et encore, je n'avais jamais vu plantes et arbres pousser ainsi, au hasard, dans un désordre qui fait le bonheur de la faune des environs, et la mienne par la même occasion.

Je croise les inévitables sapins, mais de tailles démesurées par rapport à ceux que je connais, et des tas d'arbres dont je ne connais pas le nom.

Mon ignorance m'insupporte, comme d'habitude.

Puis je me souviens du potager de Lucas et me demande s'il ne pourrait pas me donner quelques cours de botanique ; d'un ça m'occuperait de façon intelligente, de deux je pourrais parcourir les chemins avec un œil nouveau.

Et de trois, j'avoue que passer plus de temps avec cette famille me plairait beaucoup !

Je suis suivie par Lola qui, au fur et à mesure des jours, avance comme moi d'un pas plus assuré.

Nous sommes accompagnées par les stridulations des criquets qui envahissent complètement l'espace sonore aux heures les plus chaudes.

Chaque soir voit arriver Grâce qui reste de plus en plus souvent pour prendre un verre sur la terrasse ou simplement discuter ; elle me confie que ça lui fait du bien de parler avec une autre femme.

Pas qu'elle reproche quoi que ce soit à Lucas, loin de là, elle l'idolâtre, mais c'est parfois pesant de ne pas pouvoir échanger avec quelqu'un du même sexe.

Moi qui passe mon temps seule, j'approuve totalement que nous les femmes, avons besoin de sororité : converser avec d'autres c'est important !

Elle m'a finalement confié l'histoire de sa rencontre avec Lucas, elle me l'a racontée un soir après que j'ai entrepris de lui décrire ma relation avec Charles.

Après son divorce, c'était l'achat de la petite maison qui lui avait permis de remonter la pente.

Elle s'y rendait à chaque congé mais s'ennuyait un peu, elle avait donc cherché de quoi s'occuper dans les environs en épluchant les annonces des différentes activités proposées.

Lucas organisait des ateliers de cuisine avec les légumes et plantes de la région, ainsi que les produits bio de son potager, démontrant en même temps qu'avec un peu d'imagination et de travail, on pouvait facilement se suffire à soi-même ou presque.

Elle s'était inscrite et, m'avait-elle dit en rougissant, leur premier regard avait été comme dans les films, un coup de foudre réciproque.

Après ça, ils ne s'étaient plus quittés, sans même se poser de questions.

Pourtant les débuts avaient été difficiles, car elle devait rentrer à Paris pour son travail à la fin de chaque période de congé.

Après un an à faire ces allers-retours incessants forts épuisants, elle en avait eu assez : elle avait tout vendu, tout plaqué et avait rejoint définitivement Lucas qui n'attendait que ça !

— Tu comprends, m'avait-elle confié, mon fils était mort depuis trois ans, je n'avais plus de famille, mes parents étaient décédés et j'étais fille unique.

Pardon ?

Grâce avait eu un fils avant Léo ?

Je lui avais pris les mains doucement, la gorge serrée, sans savoir quoi lui dire.

Quels mots pourraient convenir à ce genre de drame…

Elle avait soupiré.

— Ça va, tu sais, je me suis habituée à cette douleur. Et même, je l'aime bien, c'est tout ce qu'il me reste de lui, de Jean-Pierre.

Elle avait ajouté en souriant.

— Avoir un bébé avec Lucas n'était pas prévu en fait, je venais d'avoir 40 ans, mais c'est le plus beau cadeau que pouvait me faire la vie.

— Léo est un jeune homme merveilleux, lui avais-je assuré, pressant plus fort ses mains dans les miennes.

46

Un lien s'était vraiment tissé entre nous ce soir-là, ce genre de lien différent de celui que l'on crée quand on s'amuse : celui, bien plus fort, qui unit les cœurs blessés.

Elle est belle Grâce quand elle me parle de ses hommes, son visage est alors doux et lumineux, je voudrais être aussi belle à soixante ans.

Ça doit être l'air des montagnes qui conserve, ou l'amour, oui bien sûr, ça ne peut être que l'amour !

Il y a alors de grandes chances pour que je finisse ma vie toute plissée, comme une pomme de l'année précédente que l'on a oublié dans la cave… merci, Charles !

Mais pour l'instant, je refuse de m'apitoyer sur mon sort !

Si Grâce a pu remonter la pente du drame le plus terrible qu'il peut être donné de vivre, je me dois de retrouver la quiétude, si pas le bonheur.

La montagne m'aide beaucoup, il règne en ces lieux un je ne sais quoi de divin.

Je suis presque gênée de le dire, moi qui m'oppose à toute forme de religion.

Mais il ne s'agit pas de ça, c'est plutôt une impression de toucher délicat et lumineux venu d'ailleurs et qui aurait le don de rendre la sérénité aux plus déprimés.

Chaque soir dans ma cuisine, je contemple les courbes de la montagne : trois sommets se succèdent, mêlant arbres centenaires et sapins.

Il arrive souvent que deux oiseaux de proie planent dans le ciel, silencieusement.

Plus loin, quelques éoliennes se suivent et disparaissent derrière le dernier sommet.

Cet endroit a le pouvoir incroyable de supprimer les pensées parasites que mon ego s'amuse à me distiller à longueur de temps, mais ici, il semble que ses forces s'amenuisent et que c'est moi qui reprends les commandes.

Sans compter que maintenant je dis « ma maison », « mon lit », « ma chambre » preuve s'il en est que je me suis approprié les lieux et que je m'y sens bien.

Chaque soir, j'entends le son de cet instrument que mon amie m'a dit être un cor des Alpes et qui servait autrefois de moyen de communication dans ces montagnes où le son voyage bien plus vite que les êtres vivants.

Le son qu'il produit se mélange aux odeurs délicieuses d'ail et de légumes qui émanent de mon plat et au bruit des criquets qui s'en donnent toujours à cœur joie en fin de journée.

Charles Baudelaire a dit : « Le parfum, les couleurs et les sons se répondent », c'est ça l'Ardèche !

J'aime le son de ce cor qui sonne la fin du jour, c'est une musique hypnotique, grave, majestueuse.

La personne qui l'utilise sait en jouer et fait vibrer ma corde sensible… si j'osais, je partirais à sa recherche pour la remercier de clôturer chacune de mes journées par cet appel puissant.

Mais parcourir la montagne à l'aveugle serait une très mauvaise idée… je dois accepter que cette petite musique de nuit reste mystérieuse.

La semaine suivante voit arriver les premières chaleurs.

Je n'en reviens pas de ce changement brusque de temps, bien que cela me rappelle beaucoup ma Belgique natale !

C'est le moment idéal pour inaugurer la piscine naturelle, située en contrebas de la propriété et que je me contentais d'admirer, assise sur la petite terrasse.

Je n'y ai toujours pas mis les pieds, préférant explorer la forêt, bouquiner dans les hamacs, écrire aussi et papoter avec Grâce.

De plus, demain, je commencerai les cours de cuisine avec Lucas, « à titre gracieux », m'avait-il dit en me faisant un clin d'œil.

Je lui avais aussitôt répondu qu'il n'en était pas question, je voulais payer les services qui m'étaient rendus, a fortiori des cours !

— Laisse tomber, tu m'aideras à cuisiner ton repas. Et comme tu le payes cuisiné et livré, nous dirons que c'est un échange, avait-il répondu, faisant taire mes scrupules pour de bon.

Pourtant en enfilant mon maillot, je maudis Lucas et ses bons repas car je paye cash sa bonne cuisine : j'ai grossi !

Mais finalement, je n'ai plus d'homme en vue pour m'imposer la dictature de la minceur et la lutte incessante contre les capitons, je décide donc de m'en foutre royalement !

Je prends le chemin en pente qui conduit vers le bassin, au milieu des bourdonnements du travail acharné des abeilles.

La piscine naturelle se découvre en bas de l'escalier de pierre.

Le bruit de l'eau coulant d'un bassin à l'autre à partir de la grande fontaine déclenche instantanément en moi une dose massive d'endorphine, je souris comme une enfant qui découvre son premier sapin de Noël.

Une naïade en pierre est assise sur le rebord de la piscine, une de ses jambes semblant se balancer nonchalamment au rez de l'eau.

Plus loin, derrière le premier bassin, trois lutins à l'air malicieux la regardent en souriant.

Je peux aussi apercevoir un petit dragon caché en partie dans les roseaux.

L'artiste qui a créé ces merveilles est doué, on croirait voir des êtres vivants pris dans la pierre, surpris par le passage de la gorgone.

Je fais un arrêt, pour imprimer à jamais cette image idyllique dans ma mémoire.

La chienne s'est réfugiée en haut des escaliers, me surveillant de loin, elle a toujours eu horreur de l'eau, ce qui est un comble pour une croisée épagneul.

J'installe un transat et une petite table d'appoint puis me ravise et prépare un deuxième transat ; qui sait, Grâce se laissera peut-être tenter par un bain de soleil en ma compagnie.

J'ouvre le parasol sur un ciel tout bleu.

C'est exceptionnel, il n'y a pas un seul nuage et nous ne sommes que début avril.

C'est un peu idiot ce parasol ouvert, ce n'est pas comme s'il faisait étouffant et qu'il fallait se protéger.

Mais pour moi, il est comme une promesse : l'approche de l'été et de la vraie chaleur, des apéros et des barbecues, de ma sérénité retrouvée aussi.

Je le regarde avec amour ce parasol, il m'ouvre les portes vers le sourire.

Il était temps.

Chapitre V

Cet après-midi, je dois rejoindre Grâce, Lucas et Léo : ils ont décidé de me changer les idées en « me sortant de mon trou », ont-ils déclaré.

C'est la fête du village, il y aura des jeux et la journée se clôturera par un bal aux lampions, une coutume qu'il ne faut pas rater, paraît-il !

Heureusement, j'ai apporté quelques robes avec moi, même si je déchante après les avoir enfilées : elles me boudinent, j'ai oublié que j'avais grossi.

En me regardant dans la glace, je trouve pourtant que ça me va bien : mes joues sont plus rebondies, mes rides comblées et j'ai enfin une poitrine digne de ce nom, même si je préfère ne pas regarder à quoi ressemble mon postérieur…

La cuisine tout comme les cours de Lucas en sont responsables, on goûte tout, c'est comme ça que l'on reconnaît un vrai cuisinier d'après lui.

Je précise qu'il apprécie aussi l'apéro fromage/petit rouge que l'on déguste en cuisinant, ce qui est mortel pour mon tour de hanche.

Mais si je me souviens bien, Coco Chanel a déclaré : « À trente ans, une femme doit choisir entre son derrière et son visage », alors à cinquante !

Je me décide finalement pour une robe noire, simple, légèrement échancrée, qui souligne joliment mes nouvelles formes sans trop révéler ce que j'apprécie le moins, je choisis des ballerines à talons plats puis laisse flotter mes longs cheveux bruns que je rehausse avec de grands anneaux argentés en boucles d'oreilles.

J'enferme la chienne dans la maison avant de rejoindre mes amis.

Léo a emmené Sophie, sa copine du moment m'a précisé Grâce avec un clin d'œil, et nous arrivons au village en fin d'après-midi où règne déjà une atmosphère de fête.

Il semble bien que les autochtones soient tous là, endimanchés, heureux de se revoir, parfois après de longs mois, la montagne et ses distances empêchant les visites quotidiennes.

Je suis entraînée sur la terrasse du café « Le petit rouge » où nous attendent les amis de Grâce et Lucas.

Ils se lèvent à notre arrivée avec de grands « Haaa ».

— Je vous présente Dana, l'inconnue de la montagne, crie Lucas à la cantonade.

Bien sûr, je rougis puis je salue tout le monde avec les trois bises traditionnelles.

Lucas continue les présentations : il y a Antoine qui fabrique des fromages de chèvre et sa femme Julie qui est l'institutrice de la petite classe du village, Guillaume le viticulteur et ses fils qui sont responsables des vignobles du Château, Nathalie et Jacques qui sont maraîchers bio (je commence à comprendre comment Lucas bénéficie d'aussi bons produits dans sa cuisine), et pour finir Oriana qui est aromathérapeute et soigne aussi avec d'autres médecines alternatives.

C'est ce moment que choisit un homme pour nous crier bonjour avant de s'éloigner avec d'autres, non sans m'avoir salué avec un regard appuyé, un grand sourire et un signe de la main.

Je deviens cramoisie, ce type, c'est mon inconnu voyeur à moto.

— Tu le connais ? me demande Grâce avec un air de fouine qu'elle ne parvient pas à dissimuler.

— Euh, non, on s'est juste croisé sur l'autoroute en venant ici.

— C'est le fils de Jonathan, me précise Lucas, comme si ça voulait tout dire.

OK, mais qui est Jonathan ?

Devant mon air interrogateur, il précise.

— Jonathan est le propriétaire du Château et des vignobles ainsi que d'une bonne partie des maisons du village.

Ah bon, un riche héritier mal élevé, voilà qui ne devrait pas m'étonner, mais j'ai toujours eu des préjugés envers ceux qui sont nés avec « une cuillère en argent dans la bouche ».

Grâce le reprend.

— En fait, il s'agit d'un vieux Mas appartenant à leur famille depuis plusieurs générations.

— Oui, continue Lucas, mais tout le monde l'appelle « le Château », quand tu le verras tu comprendras, Jonathan a fait quelques travaux avec sa femme.

Guillaume continue l'histoire et m'explique qu'il y a eu de grosses disputes entre le fils et le père quand la mère de David (ben tiens un nom de Roi), Victoire, est décédée.

David voulait tout moderniser, le père refusait catégoriquement de changer ce qui faisait leur succès depuis les débuts.

Finalement, un accord avait été trouvé, le fils prenait en charge la commercialisation des vins en Europe et ailleurs, ce qui lui avait permis de quitter le Château où il ne séjournait plus que rarement et de voyager.

Je m'éclipse quelques minutes pour me rendre dans les toilettes mais Grâce me suit, flairant que je n'ai pas tout dit.

Je lui raconte alors toute l'histoire, le besoin pressant fait derrière un buisson, et David me regardant avec un sourire ironique.

Grâce en pleure tellement elle rit.

Je proteste :

— Mais enfin, ce n'est pas drôle ! Et promets-moi que tu ne raconteras ça à personne, franchement je suis assez gênée comme ça.

Elle jure qu'elle ne dira rien et pour me le prouver, crache dans l'évier !

— Grâce !

— Tu devrais lui parler, me conseille-t-elle, il est célibataire et il doit avoir plus ou moins ton âge.

Je réponds avec une moue de dégoût.

— Oh, non, Grâce, quelle horreur, ça n'arrivera jamais !

Nous rejoignons les autres qui ont déjà bien entamé une des bouteilles apportées par Guillaume et s'échangent les nouvelles des dernières semaines.

J'apprécie particulièrement Oriana, le travail des énergies m'a toujours passionné et nous entrons dans un débat sur le Reiki, une méthode canalisant l'énergie par le chakra coronal et permettant de soigner avec les mains.

Je l'avais étudié il y a quelques années, passant les différents niveaux pour devenir « Maître Enseignant », ce qui impressionne beaucoup Oriana.

— Tu ne m'as jamais parlé de ça, s'étonne Grâce.

— Désolée, je t'avoue que je n'y pensais plus.

Elle me sourit avec connivence.

Il est vrai que centrée sur mes problèmes nombrilistes, j'avais oublié que l'Ardèche est un paradis pour qui veut travailler sa spiritualité et son bien-être.

Chamans, sourciers, spirites et autres éveillés sont légions, on soigne avec des plantes ou avec l'aide d'un magnétiseur.

Ici, c'est normal et la médecine traditionnelle ne vient qu'en dernier recours ou en plus du reste.

Je raconte brièvement à mes nouvelles amies mon parcours spirituel et mes connaissances en la matière tout en faisant une parenthèse sur les personnages parfois dangereux rencontrés durant mon évolution.

Le débat s'anime et chacune a une anecdote à raconter sur le sujet.

Le soleil se couche et les lampions s'illuminent sur la place du village : c'est l'heure du bal.

L'orchestre s'installe sur le podium, avec des musiciens et un chanteur comme j'en voyais dans les soirées de mes vingt ans, je suis conquise.

Lucas s'incline en souriant devant Grâce qui se lève et le suit sur la piste où l'orchestre a entamé une vieille chanson de Joe Dassin, d'autres couples les suivent immédiatement.

Je regarde ce spectacle les yeux brillants quand Guillaume se lève et me propose de l'accompagner.

— Oh merci, c'est gentil, avec plaisir !

Je le suis sur la piste avec l'agréable impression d'effacer quelques dizaines d'années de ma vie.

Il me parle des vendanges qui vont bientôt commencer, je ris quand il m'explique comment ses fils profitent du passage des saisonniers pour chercher l'amour et je savoure sa description des différentes saveurs du vin.

Il m'explique qu'il est aussi « Maître de Chai » et adore suivre toutes les étapes de l'élaboration du vin, du premier grain à la dégustation.

Je le regarde de plus près : c'est un bel homme, un peu plus grand que moi, les cheveux grisonnants, de beaux yeux gris incroyablement clair et un peu tristes sous de petites lunettes rondes, des mains puissantes qui me serrent un peu plus et éveillent en moi certains désirs que je préférerais garder enfuis.

Je n'ose pas l'interroger sur la mère de ses enfants, mais je me doute qu'elle ne fait plus partie de sa vie quand je vois ses fils nous regarder et rire en se donnant de grands coups de coude, passablement éméchés, il est vrai.

Je dois me raisonner, je suis ici pour oublier Charles et ne plus penser à l'amour, sûrement pas pour entamer une autre liaison !

Sans compter que je partirai bientôt, alors inutile de laisser une porte ouverte.

Alors que je m'apprête à mettre un terme à ce moment trop agréable, une main vint frapper l'épaule de mon cavalier avec un tonitruant « À mon tour ! » et avant que je ne réalise ce qui se passe, je me retrouve dans les bras de David.

— Je pense que des présentations s'imposent cette fois, me lance mon cavalier avec un sourire charmeur.

Je lui réponds du tac au tac.

— Je sais qui vous êtes !

— Ho, je vois que vos amis s'en sont chargés !

— En effet… David.

Il rit de bon cœur comme si je venais de lui raconter la blague du siècle et me serre contre lui de façon vraiment indécente !

Je lance un regard désespéré à Grâce qui me regarde bouche bée, semblant hésiter entre le fou rire et la panique.

De plus en plus énervée et mal à l'aise, je décide de mettre un terme à ce qui semble n'être qu'une bonne plaisanterie pour David.

— Écoutez, vous êtes peut-être une célébrité locale, mais pour moi, vous n'êtes qu'un goujat incapable de s'excuser ! Désolée mais je préfère en rester là !

Je quitte la piste sur un « Bonne soirée » murmuré du bout des lèvres, ce qui a le don de le rendre encore plus joyeux.

Il me lance un « Magnifique soirée » en m'envoyant un baiser de la main.

Je m'assieds auprès de Grâce et Oriana.

— Je vous préviens, je ne veux pas en parler !

Guillaume est en pleine dégustation avec les autres mais me lance tout de même un regard interrogateur.

La soirée est loin d'être terminée et la cour assidue quoique timide qu'il continue de me distiller m'aide à reléguer l'odieux personnage dans un coin de mon esprit.

— Je suis désolé de vous avoir abandonné ainsi, David aime faire ce genre de choses mais je n'aurais pas accepté si j'avais su que ça allait vous contrarier ?

— Ne vous inquiétez pas, il n'y a aucun problème.

Soulagé, Guillaume me sourit en se rapprochant doucement de moi.

— Que pensez-vous de l'Ardèche ? Cela vous plairait que je vous fasse visiter les vignobles ? Bien sûr, c'est plus agréable le matin.

Guillaume se lance dans la description de ces derniers avec passion sous l'œil bienveillant de mes amis.

Je l'écoute en souriant et tourne volontairement le dos à la piste où David semble s'amuser comme un fou, à mon insu ai-je l'impression.

J'ai encore son odeur dans les narines, sauvage, brutale et j'ai beau la repousser, elle est là qui m'envahit.

Le soir, couchée dans mon lit avec Lola à mes pieds, visiblement heureuse de me voir rentrée, je suis bien obligée d'admettre que je suis attirée par ce type.

Une attirance physique que je ne connais que trop pour tous les ennuis qu'elle m'a valus dans le passé.

Mais finalement, est-ce si grave ?

Une attirance physique pour un type insupportable me semble quand même plus acceptable qu'un amour impossible pour un photographe libertin vivant à l'autre bout de la terre !

Et même si je me sens infiniment bien en présence de Guillaume, même si c'est vers lui que mon cœur veut tendre, sentant instinctivement qu'il y a à ses côtés une place disponible, je sais qu'envisager une liaison avec lui est impossible, j'habite à plus de 700 km d'ici et je devrai le quitter très bientôt !

Je me laisserais cependant, volontiers, tenter par une aventure avec le beau David, en sachant qu'il ne serait qu'un « pis-aller » comblant ce manque que Guillaume venait de révéler.

Mais est-ce prudent ?

Je ne suis venue ici que pour me reconstruire, ne plus penser à un homme, à Charles, que j'aimais, sans m'attacher soi-disant.

Charles qui ne vivait que pour le plaisir, le sien en l'occurrence, profitant de la vie comme elle venait et n'anticipant l'avenir que pour assurer le sien.

Moi qui suis venue pour trouver la sérénité, j'en suis loin, même si tout ça m'amuse un peu.

Je sombre doucement dans le sommeil, heureuse de me savoir désirée, mais sans avoir décidé quoi que ce soit, passant des yeux bleus d'un beau métis au gris si clair d'un homme de la terre.

Chapitre VI

— Il y a quelqu'un ?

J'accours vers l'entrée où Lola s'est mise à aboyer furieusement devant Guillaume qui hésite à pénétrer dans la maison.

— Oh, Guillaume ! C'est gentil de passer, je vous en prie : entrez. Il n'y a rien de grave ?

— Non, non, je me demandais si ça vous plairait d'aller voir les vignes… vous sembliez intéressée quand on en a parlé au bal alors… je me suis dit…

Le pauvre s'emmêle dans ses explications et me semble être à deux doigts de faire demi-tour en courant.

Ça fait deux jours que j'ai retrouvé ma solitude après cette soirée au village, ponctuée des visites de Grâce qui s'est lancée dans une espèce de publicité vivante vantant les mérites de Guillaume.

Elle semble s'être donné pour mission de me caser à tout prix, et je suis certaine que je lui dois la présence de ce dernier dans mon salon !

Il me regarde dans les yeux, semblant atteindre mon âme si profondément que j'en suis bouleversée, mais pas question de céder à cette attirance-là !

Pourtant je ne peux pas lui refuser une balade, sous quel prétexte ?

Tout le monde sait que je n'ai rien à faire ici.

— C'est gentil, avec plaisir. Est-ce que je peux prendre la chienne avec moi ?

— Oui, bien sûr, j'adore les chiens, j'ai deux vieux Boxers à la maison.

Un bon point pour lui !

— Mais ils ne m'accompagnent plus dans les vignes, à leur âge ils ne font que dormir.

Le temps d'enfiler un jeans plus pratique et je monte dans la jeep de Guillaume, Lola à mes pieds, haletante de stress.

J'explique à mon ami pourquoi elle est dans cet état et il me promet de rouler doucement.

— De toute façon, je roule toujours comme un vieux bonhomme, mes fils se moquent de moi mais ça m'est égal, je préfère être prudent sur les routes de montagne.

Me voilà rassurée, la vitesse et moi n'avons jamais fait bon ménage.

Il me sourit et me demande :

— Au fait, si on se tutoyait ? Tout en dévoilant deux fossettes au coin des lèvres.

J'accepte avec plaisir tout en pensant : misère, ça va être plus difficile que je ne pensais.

Il roule doucement, fidèle à sa parole, et je me détends peu à peu.

Nous arrivons aux abords du domaine. Après avoir passé une grande grille en fer forgé, Guillaume s'engage dans une longue allée bordée de pin ; j'aperçois le Château au fond de celle-ci, magnifique, imposant, impressionnant.

Je comprends maintenant la réflexion de Lucas : le Mas a été agrandi par l'ajout de deux superbes tours donnant des allures de château à l'ensemble.

Le bâtiment semble immense et a été parfaitement restauré.

— Victoire adorait l'architecture, m'explique Guillaume, et Jonathan s'était pris au jeu, je suppose, tu vois le résultat, extraordinaire !

En effet, ce qui devait être un simple Mas en pierres couleur de sable est devenu une énorme bâtisse bien plus imposante. Les fenêtres semblent avoir été restaurées également dans un blanc cassé discret, ornées chacune de volets bleu pâle ; des fenêtres innombrables, j'en compte cinq au rez-de-chaussée et pas moins de huit à l'étage.

Il n'y a d'ailleurs qu'un seul étage dans cette maison plus large que haute.

Les deux tours, énormes, trônent et accentuent encore la longueur du bâtiment, elles doivent faire, à mon avis, au moins vingt-cinq mètres de diamètre.

On accède à la porte d'entrée en contournant un cercle de pelouse ce qui accentue cette impression de château, et en montant quelques marches en pierres.

Il y a des fleurs à chaque fenêtre et, de part et d'autre de l'entrée, de magnifiques rosiers dans d'immenses vasques bleu nuit.

Une dizaine de mètres avant d'atteindre l'entrée, Guillaume bifurque vers la gauche et prend un chemin de terre rejoignant une petite départementale. Nous arrivons sur la pente sud du domaine, bien plus bas dans la vallée, au pied du Vivarais, où se trouvent les vignobles et sa maison.

— La majorité des vignobles se trouvent dans la vallée, précise-t-il.

— Tu es assez loin du Château.

— Loin pour une petite Belge sans doute…

Je ris franchement.

Le soleil commence à frapper fort quand nous nous garons devant la vieille bâtisse de pierre.

— Si tu veux bien, nous commencerons par les vignes, puis je te ferai goûter quelques vins dans ma cave. Nous serons au frais à l'heure la plus chaude, me propose-t-il.

J'acquiesce avec un sourire.

La visite guidée est passionnante. Il m'explique comment traiter les vignes, me fait goûter les grains encore petits mais déjà gorgés de sucre en m'expliquant à quel moment ils seront prêts à être cueillis.

Il me raconte les vendanges, la chaleur et la fête de la fin de récolte.

Il ne bredouille plus, passionné par son sujet, semblant même grandi, fier de son travail.

J'admire cet homme, son courage, sa passion.

Guillaume m'explique aussi qu'il doit beaucoup à Jonathan, qui lui a fait confiance et lui a permis de se former pour pouvoir tenir les rênes du domaine en tant que Maître de Chai.

— Jonathan a fondé une Coopérative avec la moitié des vignes et il a gardé l'autre partie en privé. C'est grâce à lui si j'ai pu obtenir des parts.

Jonathan avait hérité du domaine de ses parents, le faisant fructifier d'année en année, jusqu'à donner à ses vins une réputation internationale.

Il avait épousé Victoire, une Ivoirienne d'une beauté à couper le souffle, rencontrée durant leurs études.

Ils avaient formé un couple incroyable, passionné, entier, n'ayant eu qu'un fils, David, ressemblant à sa mère par le physique mais ayant le caractère entier et fonceur de son père.

Guillaume avait passé son enfance dans la même école que David, et ils étaient devenus amis.

Pourtant un jour une femme les avait opposés, Margaux, et c'est Guillaume qui l'avait épousée.

L'amitié entre eux était fêlée depuis ce jour et ils ne s'adressaient plus la parole que pour les besoins du Château.

Plus tard, l'accouchement du fils cadet de Guillaume avait entraîné des complications dont sa femme ne s'était jamais relevée.

Je comprends que je n'ai pas intérêt à mettre ces deux-là en compétition, ce serait raviver la douleur, même si je n'ai pas la prétention de remplacer cette femme.

Lola commence à avoir trop chaud et je demande si on peut faire demi-tour.

Nous retournons vers sa maison, une bâtisse en vieille pierre qu'il m'explique avoir restaurée seul à la mort de son père.

Sa mère était décédée d'un cancer diagnostiqué trop tard, et son père ne lui avait pas survécu longtemps.

Leur vie était entièrement consacrée aux vignes, ils étaient morts ici, heureux.

La maison leur appartenait mais elle avait manqué d'entretien, sans compter qu'elle avait besoin de plus de confort moderne.

Le résultat est magnifique : le bois est omniprésent dans la maison, des poutres traversent les plafonds et les meubles sont en bois clair avec un immense bar attenant à la cuisine.

Un grand divan en cuir noir complète l'ameublement très masculin et je découvre un nombre incalculable de photos accrochées aux murs représentant des scènes de la vie de la vigne avec ses fils en avant-plan.

Quelques photos de sa femme sont placées sur un vieux bahut, en hommage silencieux. Je découvre une jeune femme blonde, aux yeux bleus pétillants et détourne vite le regard, mal à l'aise, pour me replonger dans la contemplation de la maison.

On est loin de l'univers féérique de ma petite maison mais j'apprécie aussi cette sobriété.

Deux vieux chiens surgissent silencieusement de derrière le bar et viennent renifler Lola qui se hérisse en grondant doucement, mais les deux boxers, semblant décider qu'elle n'est pas une menace, vont se recoucher aussitôt.

Guillaume me les présente.

— Socrate et Jésus, 13 et 15 ans, ils se font vieux.

Il me désigne ensuite une porte derrière le bar.

— La cave se trouve en bas, fais attention, les marches de l'escalier sont fort étroites.

Je descends en le suivant prudemment, Lola dans mes bras ; la cave est fraîche et la chienne s'y couche bruyamment dans un soupir d'aise.

— C'est modeste, tu devrais voir les caves du Château, elles sont impressionnantes, si ça t'intéresse, je pourrai te les faire visiter ?

En guise de réponse, je lui souris, n'allons pas trop vite !

Si j'apprécie le vin, je ne veux pas que mon guide imagine autre chose qu'un intérêt purement gustatif.

Guillaume dresse deux verres sur la vieille cuve en bois faisant office de bar et prépare trois bouteilles de vin rouge.

— Tu m'as bien dit dans la voiture que c'est le rouge que tu préfères ?

Je m'écrie :

— Oh, doucement, je ne vais pas boire tout ça !

— C'est la première fois que tu fais une dégustation ?

En effet, je l'avoue un peu gênée.

Guillaume m'explique comment procéder en bon Maître de Chai : l'examen visuel, voir si le vin est limpide, brillant, comment comprendre la robe qui évolue avec le temps dans des couleurs allant du violet au brun.

Il m'apprend à sentir les odeurs, m'expliquant qu'il y a un premier nez permettant d'identifier une famille d'arômes, puis un deuxième nez qui va les déterminer plus précisément.

Je suis les étapes, découvrant avec étonnement des odeurs inconnues.

Vient ensuite la dégustation où je finis par ne plus entendre ses explications sur la langue, la longueur et l'équilibre et encore moins le fait de devoir cracher ce nectar… c'est trop bon, tant pis : j'avale !

Je le regarde comme une enfant prise en flagrant délit de gourmandise ce qui le fait rire aux éclats.

Il me donne un morceau de pain et nous passons au vin suivant.

L'après-midi s'écoule de plus en plus joyeusement, du moins pour moi qui commence à avoir la tête qui tourne.

— Je crois que je serais bien incapable de faire le même métier que toi, dis-je d'un air dépité.

— La gourmandise est un joli défaut je trouve, me répond-il en s'approchant de moi.

Je fais ce que je peux pour sembler ignorer son approche mais il se contente de me prendre gentiment la main en me proposant.

— Allons manger au village, je pense que tu en as grand besoin !

J'approuve en ajoutant :

— Et de l'eau à table !

Arrivés sur la place du village, nous nous installons sur la terrasse du désormais célèbre « Le petit rouge » qui, le soir venu, se transforme en brasserie.

Nous commandons et la conversation reprend naturellement, la glace est maintenant rompue et nous sommes tous les deux plus à l'aise.

La soirée avance et Guillaume me parle plus en détail de sa vie, il a élevé ses fils seul et en est très fier.

Il me confie qu'il a toujours espéré rencontrer une femme qui lui conviendrait, mais celles ayant croisé son chemin étaient toujours rebutées par cette vie trop simple.

— Tu en penses quoi ? me demande-t-il en me prenant doucement la main.

Comment ça ce que j'en pense ?

On ne s'est pas embrassé, que je sache, et je n'ai rien dit ni rien promis !

Je réponds, mal à l'aise.

— Écoute, Guillaume… tout en essayant de me dégager en douceur.

Il m'interrompt aussitôt et me lâche la main.

— Non, ne dis rien. Je sais très bien qu'il ne s'est rien passé entre nous. Sans compter que tu vas repartir chez toi. C'était idiot, excuse-moi.

Le charme est rompu et c'est en silence que nous terminons notre repas et qu'ensuite, il me ramène.

J'ai le cœur qui va exploser tant je suis triste ; je voudrais lui dire ce que je ressens, combien il m'attire et comme je voudrais me jeter dans ses bras.

Si l'ancienne moi l'aurait fait sans penser aux conséquences, l'actuelle ne bougera pas.

J'ai déjà trop d'amitié pour cet homme pour lui faire le moindre mal, sans compter que pleurer une histoire qui n'arrivera jamais est bien plus facile que supporter le souvenir d'un cœur que l'on a brisé.

Même si dans la foulée, c'est le mien de cœur que je veux ignorer.

Mon panier-repas est posé devant ma porte avec un message de Grâce que j'ai oublié de prévenir :

« J'espère que ta journée s'est bien passée ! Pas de soucis pour le repas, il se réchauffe. Je t'embrasse.

Grâce ».

Je me promets, honteuse, de tout lui raconter le lendemain.

Il est clair que j'ai réussi ce pour quoi je suis venue, du moins une partie : oublier Charles, le « désaimer ».

Car l'autre partie, celle qui devait me permettre de retrouver la quiétude, est reportée à une date ultérieure.

À croire que les affaires d'amour font partie intégrante de ma vie, à moi de m'en arranger !

Charles ne m'aimait pas, c'était effectivement bien plus facile, aucun danger de lui faire le moindre mal.

J'ai longtemps cru que c'était ce que je voulais : vivre libre.

Je comprends à présent que la liberté n'est pas dans les actes, à l'extérieur, elle est en soi, dans l'épanouissement profond de chaque aspect de qui on est, sans entrave.

Avec lui, mon cœur était cadenassé, prisonnier, sans espoir de jamais pouvoir s'exprimer.

Je m'étais leurrée en croyant me protéger de la douleur, en ne prenant aucun risque sous prétexte de liberté.

Ne devrais-je pas suivre une autre route à présent, oser ?

La chanson de Calogero vient en écho à mes pensées : « Un jour ou l'autre, il faut qu'on saute, tenter le voyage, trouver le courage. »

Je n'ai pas ce courage, en tout cas je ne l'ai plus, je suis tétanisée par la peur d'avoir mal, de foncer droit dans un mur, encore une fois.

Le lendemain, je confie mes pensées à Grâce.

— Mais enfin, ma chérie, si tu ne lui dis pas ce que tu ressens, tu risques de le regretter toute ta vie, s'écrie-t-elle.

Je réponds, dépitée.

— Je réagis comme une gamine, je m'en rends compte.

— Bien sûr que non, répond Grâce, tu as souffert plus d'une fois et il est normal de vouloir te préserver.

Puis elle ajoute.

— Mais n'oublie pas que tu as devant toi un homme bien, il a souffert aussi et il mérite, si pas ton amour, au moins ta franchise.

Elle a raison, bien sûr, mais j'ai encore un peu de temps, je n'en suis qu'à la moitié de mon séjour.

Et j'avoue que j'ai peur, d'abord de décider, ensuite de perdre quelque chose de précieux.

Je décide de planifier la visite d'Aubenas.

Je veux penser à autre chose (même si j'admets que ça ressemble à une fuite), afin de laisser mon cœur et mon cerveau au repos et de profiter des merveilles de la région.

Grâce ne semble pas convaincue mais elle m'aide et me donne quelques adresses de restaurants qui méritent qu'on s'y arrête.

C'est décidé, demain, je pars en excursion !

En attendant, Léo m'a promis une balade et m'attend déjà devant la maison avec Lola qui me délaisse joyeusement.

Je sors et règle mon sac à dos.

— C'est loin d'ici ?

— Non, on marche quarante minutes, pas plus, répond Léo. En avant !

Très vite nous quittons la route de terre pour nous engager dans le bois par un chemin impossible à repérer pour qui n'est jamais passé par là.

Nous cheminons l'un derrière l'autre, entre les pierres, les ronces et les grands arbres, silencieusement. Léo n'est pas bavard et Lola le suit religieusement pendant que je ferme la marche.

Au bout de vingt minutes, je commence à entendre le bruit de l'eau, Léo se retourne.

— C'est la rivière, on va la suivre un peu, tu vas voir, c'est super beau !

En effet, l'eau claire et transparente coule bruyamment entre les rochers, faisant son lit vigoureusement. Le courant est fort et les rochers semblent glissants, je ne voudrais pas m'aventurer dessus.

Léo se retourne de temps en temps, comme pour surveiller ma progression, mais j'ai fait des progrès et aujourd'hui, je peux dire que ma condition physique est relativement bonne. C'est donc mon tour de lui faire de grands sourires.

— On arrive, lance-t-il.

Quelle merveille !

Ici, les rochers, énormes, serrés les uns contre les autres, forment un cercle où l'eau arrive par le sommet, créant une piscine naturelle avant de poursuivre sa route par un débordement en contrebas.

Léo se retourne, fier, comme si l'endroit était son œuvre.

— J'adore, merci, Léo !

Je suis au paradis.

Très vite, nous faisons tomber les shorts et tee-shirts et nous sautons dans l'eau en riant. Pendant que je profite de la cascade que fait la rivière en se jetant dans la piscine, Léo essaie d'attirer Lola qui s'est prudemment reculée.

— Tu perds ton temps, elle a peur de l'eau !

Mais le gamin est têtu et il continue son travail de séduction.

Je sors de l'eau, étends ma serviette sur un des rochers et les oublie un moment pour profiter du spectacle que la nature m'offre généreusement. Cette nature que l'on oublie quand on est emprisonné dans le métro-boulot-dodo, délaissant ce que nous sommes, ce qui nous relie à la terre, allant jusqu'à la maltraiter.

Je philosophe un peu mais finis par somnoler.

Léo sort de l'eau pour me rejoindre.

— J'ai faim, tu veux manger ?

J'accepte avec plaisir. Je le laisse s'occuper de tout : il sort des sandwichs et de l'eau et nous mangeons, affamés par la baignade.

Il me fait un petit compte rendu du lieu.

— On est juste en face de la maison où tu es. On a pris le chemin de la Croix Blanche, c'est connu ici, enfin, pas des touristes ! Et tout au-dessus, il y a même un petit chalet. Il paraît que c'est à un vieux sorcier et personne n'ose y aller. J'ai essayé une fois, mais ça m'a fichu la frousse quand j'ai vu le type avancer vers moi.

— Et tu le connaissais ?

— Non, je me suis sauvé. Mais bon, j'avais que neuf ans.

Léo me parle du village, de ses parents, de ses copains et de l'internat. Il est heureux de sa vie, mais se réjouit surtout d'avoir fini ses études.

— Et tu voudrais faire quel métier ?

— Je ne sais pas encore, mais je veux m'occuper d'animaux. Éleveur, ou vétérinaire ou ouvrir un centre équestre, on verra.

Ça ne m'étonne pas, il a un don, je l'ai compris quand j'ai vu à quelle vitesse il a conquis Lola, le chien le plus froussard et méfiant qui existe !

— Léo, il est temps de rentrer, je dois me lever tôt demain, je vais visiter Aubenas !

— OK. C'est pas mal Aubenas, mais bon, c'est qu'une ville. Tu dois aller voir Balazuc, c'est vachement mieux.

— Oui, ta maman m'en a parlé, je vais y penser.

Nous reprenons le chemin en sens inverse. Arrivés à la petite maison, je le remercie, j'ai passé une merveilleuse après-midi.

— Et promis, je ne dirai à aucun touriste où se trouve ton endroit secret !

— Super, amuse-toi bien demain !

Il sourit et m'embrasse, caresse longuement la chienne en lui parlant dans l'oreille avant de s'en aller au petit trot.

Chapitre VII

J'arrive à Aubenas, il est dix heures et la chaleur commence à monter doucement dans les rues.

Je découvre la place et son Château de Montlaur.

Une odeur de café frais plane et je ne peux pas résister au plaisir de m'en offrir, accompagné d'un croissant chaud et doré.

Je m'assieds sur la terrasse installée devant le Château, Lola à mes pieds, et je déguste mon petit déjeuner avec autant de plaisir que le spectacle de la vie qui s'anime devant moi.

Les gens commencent à circuler dans un léger brouhaha, chacun sourit et prend le temps de saluer celui qu'il croise, s'arrêtant parfois pour échanger les nouvelles du jour.

Cette quiétude est rehaussée par le timbre de l'eau venant de la fontaine.

Je me sens si bien qu'il est possible que ce soit mon imagination qui me fasse voir tous ces gens souriants.

Car même si je sais que je devrais réfléchir sur ma relation avec Guillaume, je ne suis pas pressée de prendre une décision.

Le Château est devant moi et je sirote mon café en contemplant ses pierres grises prendre des teintes orangées sous les rayons du soleil qui prend de la hauteur, c'est sublime !

Derrière moi, une bâtisse à l'architecture gothique est décorée de gargouilles noires semblant défendre la place ; c'est une bien étrange maison qui doit certainement avoir une histoire particulière.

Je décide de commencer ma visite : je passe sous la grande voûte du Château et je débouche, stupéfaite, sur une vue spectaculaire de la montagne.

J'aperçois le pont d'Aubenas en contrebas et reste là un moment, avec Lola, à contempler les montagnes et observer les allées et venues des gens, minuscules fourmis dans la vallée.

C'est le vent, trop présent à mon goût, qui me chasse de cet endroit magnifique.

Je me promène longtemps dans les ruelles, évitant soigneusement les avenues commerçantes où des voitures circulent.

Je contourne une vieille abbaye recommandée par Grâce et j'arrive dans un jardin à la française, bien entretenu, entouré de vieux murs en pierres grises, où je décide de faire une pause dans un silence apaisant.

Il est midi passé quand je reviens sur la place.

Un petit restaurant de pâtes attire mon regard et titille mon appétit, qui plus est, il est dans la liste des lieux conseillés par mon amie ; je réalise soudain que je meurs de faim !

Je ne m'en étais pas rendu compte, à flâner dans la vieille ville et emplir mes yeux de ce magnifique endroit.

Je m'assieds en prenant soin de m'isoler des autres tables, Lola se couche à mes pieds en soupirant d'aise.

Les grands raviolis que j'ai choisis me sont servis avec une onctueuse sauce au fromage, un verre de vin blanc sec et frais complétant ce repas simple et savoureux.

Le soleil brille et je profite de l'instant, fermant par moment les yeux afin de laisser mes papilles maîtres à bord : rondeurs de la crème et du fromage associés aux pâtes cuites « al-dente », je savoure.

Les gens autour de moi discutent tranquillement, d'autres ont les yeux fixés sur leur portable.

C'est là que j'aperçois l'affiche « Wifi gratuit » avec un code inscrit dessous.

Machinalement, je saisis le code et vérifie ma boîte mail : une cinquantaine de messages m'attendent gentiment… dont un de Charles.

J'essaie d'analyser ce que je ressens : triomphe ? Espoir ? Peur ? Ras-le-bol ? Bonheur ? Je n'en sais rien.

Autant en finir tout de suite !

J'ouvre le mail et je ne suis pas étonnée de son contenu : Charles m'annonce son arrivée à Montréal, m'explique en quoi consiste son nouveau job, me vante les beautés de l'endroit et termine son message par un « Comment vas-tu ? » conventionnel.

Je n'en attendais rien de plus et je ne répondrai pas, à quoi bon !

C'est très certainement ce qu'il espère : que je lui fasse comprendre que j'ai tourné la page.

Je me laisse aller contre le dossier de ma chaise et commence à sourire : ça y est, je suis guérie, je ne ressens rien !

Il m'aura fallu deux mois d'exil mais j'y suis arrivée !

Les vacances peuvent commencer !

Plongée dans mes pensées et les yeux à demi fermés, je ne remarque pas tout de suite la personne qui s'assied devant moi sans invitation.

Je lève les yeux quand j'entends un « Bonjour » lancé sur un ton amusé et découvre, ébahie, David me regardant fixement de ses yeux perçants.

— Si vous le permettez, me dit-il, je vous offre une bouteille de vin du Château, ne dites pas non avant d'avoir goûté.

Je peux difficilement refuser, ce serait grossier, et de toute façon le patron s'est déjà précipité pour nous servir.

Je finis par lui répondre.

— Merci, c'est gentil… et je prendrai votre offre pour des excuses.

Il éclate de rire.

— Vous êtes du genre rancunier, je vois !

Son rire franc et, il faut avouer, la magnifique chemise blanche qu'il porte sur sa peau foncée m'incitent à la clémence, et puis je ne suis pas d'humeur à chercher querelle à qui que ce soit, rassurée depuis ma lecture du mail de Charles.

Sans compter qu'un David aux boucles brunes tombant négligemment sur ses épaules, assis à ma table, est flatteur pour la femme que je suis.

Je finis par lui sourire et je lui avoue avoir déjà eu le privilège de déguster quelques crus du Château grâce à Guillaume.

— Oh je vois, alors permettez-moi de vous inviter au Château, vous verrez qu'il y a dans notre cave des bouteilles bien plus intéressantes que celles que vous avez pu goûter chez mon Maître-Chai !

C'est une proposition intéressante, je n'ai jamais mis les pieds dans ce genre d'endroit, j'espère juste que Guillaume ne m'en tiendra pas rigueur… car je ne suis pas dupe : cette proposition fait certainement partie du duel entre les deux hommes.

J'accepte pourtant avec un léger sourire.

— C'est d'accord, avec plaisir.

Je lui tends la main.

— Je m'appelle Dana.

— David, enchanté… encore une fois, dit-il en nous resservant.

Nous passons l'heure suivante à rire et échanger nos points de vue sur l'Ardèche. C'est un homme amusant qui aime le voyage, flirter avec ce don Juan est plutôt agréable je l'avoue.

Il se lève et me fait un baisemain théâtral en me répondant.

— On dit vendredi à 11 h chez vous ? Je passerai vous chercher.

Il s'éloigne en ajoutant :

— Profitez de votre visite et bien sûr, vous êtes mon invitée !

Sans me laisser le temps de répondre, il pénètre dans la cuisine pour échanger quelques mots avec le patron puis s'en va en m'envoyant un baiser de la main.

Cet homme est une tornade, j'en suis toute retournée.

Vivre avec ce genre d'individu doit être épuisant au quotidien, je me demande si ça explique en partie son célibat… non, je suis certaine que la raison est toute autre, il doit faire partie de la grande famille des séducteurs libertins… un cousin de Charles en somme !

Je me rends compte à présent que ce n'est plus ce genre d'homme que je choisirais, même si je dois avouer que j'ai une attirance certaine pour le spécimen !

Je sais que Guillaume représente tout ce que j'ai toujours cherché, sans ce côté « m'as-tu-vu » que j'aimais tant autrefois, affiché par David.

J'arrive à un âge où je peux apprécier ce que j'ai sans en vouloir toujours plus.

Je suis las de courir après des moulins à vent, las de croire que ce qui brille est forcément plus beau, las de vivre dans l'insatisfaction.

Je crois qu'il est temps d'apprendre à connaître Guillaume…

Quelle journée !

Je commande un thé Earl Grey avec un nuage de lait et du sucre, comme l'a toujours préparé ma grand-mère, et le bois brûlant, à petites gorgées.

Je me dépêche un peu car ma curiosité a été piquée par la réflexion de Léo et je décide de faire un détour par Balazuc, je ne vais pas passer à côté d'un des plus beaux villages de France sans le visiter, surtout après avoir roulé près de neuf cents kilomètres !

Je quitte l'établissement, non sans avoir laissé un bon pourboire ; Lola tourne sur elle-même, heureuse de se dégourdir les pattes, mais déchante vite quand je la place dans sa cage de transport.

— Courage ma belle, encore un arrêt et nous serons rentrées !

En effet, la vieille ville fortifiée ne me déçoit pas, même si la montée est rude après avoir garé la voiture sur le parking.

Mais une fois dans les ruelles, je suis enchantée : chaque maison est décorée de plantes et de fleurs.

Je me perds volontairement dans les impasses, car la ville est toute petite, m'imprégnant de cette atmosphère particulière que dégagent les lieux anciens.

Il fait très calme, malgré des touristes que je croise souvent, chacun semblant respecter la quiétude du lieu.

Je finis par m'asseoir sur une terrasse bordant la rue principale et savoure une boisson rafraîchissante tout en laissant la chienne se désaltérer. Ici pas de réseau, je suis coupée du monde encore une fois, et ravie.

Je retourne vers la voiture en prenant le temps de m'arrêter au point de vue sur la vallée d'où je peux apercevoir un vieux pont en pierre et les rochers du mont en face.

Pas de ville en contrebas mais une rivière où quelques touristes affrètent des kayaks.

Une certaine lassitude m'envahit, j'ai envie de rentrer, de me blottir dans le gros fauteuil de la terrasse et de dormir.

Je reviens par les petites routes, admirant les paysages cévenols que je longe un certain temps, avant de regagner le Vivarais.

J'arrive à la petite maison en même temps que Grâce.

— Alors ? me demande-t-elle.

Je lui réponds en souriant.

— C'était magnifique ! Mais j'ai adoré Balazuc plus encore.

Je lui raconte ma visite et termine par ma rencontre inattendue avec David, lui parlant aussi de son invitation.

— Que vas-tu faire ? me demande-t-elle.

— J'ai déjà accepté son offre, et je t'avoue que visiter les caves du château me plairait beaucoup.

Je continue.

— Je n'ai pas envie d'entrer dans son jeu de séduction ni de blesser Guillaume, dis-moi que je ne fais pas une énorme erreur en allant là-bas.

Elle pose doucement sa main sur mon bras pour me répondre.

— Je n'ai pas de leçon à te donner Dana, mais David est connu pour ses nombreuses conquêtes, à toi de mettre les limites… et pour ce qui est de Guillaume, décide une fois pour toutes de ce que tu veux !

Pour une fois, je ne ris pas et lui réponds sérieusement en pesant mes mots.

— Je n'ai pas l'intention de faire du mal à Guillaume, je voudrais juste prendre le temps de le connaître un peu mieux.

Je m'assieds sur la marche de la porte d'entrée et avoue en soupirant.

— C'est vrai que tout ça m'amusait au début, ça me faisait du bien de savoir que je pouvais encore attirer quelqu'un, et céder aux avances de David aurait pu être amusant si Guillaume n'était pas là. Mais cette époque est terminée !

Je soupire.

— Mais je l'ai rejeté l'autre soir, je ne sais pas trop comment faire.

Grâce me sourit malicieusement en me donnant le panier-repas puis me répond :

— J'ai une idée, organisons un dîner : tu nous inviteras ainsi que Guillaume… ce sera l'occasion de mettre en pratique les cours de Lucas ! Qu'en penses-tu ?

J'approuve avec enthousiasme.

Nous nous décidons pour le mercredi, deux jours avant ma visite du château ; je veux d'abord en parler à Guillaume et éviter un éventuel malentendu.

Il ne va peut-être pas comprendre pourquoi je me rapproche soudainement de lui, mais si les sentiments qu'il éprouve sont sincères, ce que j'espère, il acceptera ma proposition et me laissera le temps de le découvrir.

Pendant que mon repas chauffe dans le four, je vais m'allonger près de la piscine.

Les criquets sont en pleine forme ce soir, accompagnant en rythme la course de Lola dans la châtaigneraie.

Un insecte gros comme un oiseau pollinise une des fleurs garnissant les jardinières posées tout autour du bassin.

Comment vais-je pouvoir rentrer chez moi ?

Après avoir vécu dans ce lieu riche en couleur et empli de mille senteurs, serai-je capable de retrouver ma vie, mon quotidien un peu terne et sans surprises ?

Inutile de m'inquiéter à l'avance, je n'ai pas envie de gâcher le présent que je savoure goulûment !

Je rentre pour nourrir la chienne et m'installe sur la terrasse pour déguster mon dîner.

Lucas m'a confectionné une quiche qui, chaude et fondante, explose en saveurs multiples sur ma langue : un mélange d'herbes qui se marie merveilleusement au fromage ; je reconnais le thym et le basilic mais je suis incapable de mettre un nom sur tout ce que je goûte.

Lucas est un génie des mélanges étonnants en cuisine !

Je devrais lui demander des conseils pour élaborer mon menu de mercredi.

En y réfléchissant, je pense également qu'envoyer un SMS à Guillaume pour l'inviter serait de mauvais goût, je préfère lui téléphoner, Grâce ayant eu la gentillesse de me donner son numéro.

Il décroche après deux sonneries.

— Oui, allo ?

— Bonjour, Guillaume ! C'est Dana à l'appareil.

Je ne respire plus pendant les deux secondes où il reste silencieux.

Il répond finalement, surpris.

— Oh ! Euh… bonjour, comment vas-tu ?

— Bien, merci. Je me permets de t'appeler car je voudrais organiser un dîner chez moi pour Grâce et Lucas, pour les remercier de leur accueil, et… je voudrais t'inviter aussi…

Prise d'inspiration, j'ajoute très vite en riant :

— Et je t'avoue que j'aurais bien besoin de tes conseils pour le choix des vins !

Il rit également… ouf, la glace est brisée !

— As-tu déjà une idée du menu ? me demande-t-il.

— Non, je voulais d'abord en parler à Lucas, mais je pense que ce ne serait pas l'idéal. Je voudrais le surprendre en appliquant ce qu'il m'a appris.

Il me propose après un instant d'hésitation :

— Je peux te donner quelques idées si tu veux, des plats qui pourraient accompagner les vins que Lucas préfère ?

— Avec plaisir ! Merci, Guillaume, tu me sauves !

Nous nous mettons d'accord pour le lendemain, il viendra à la maison avec plusieurs propositions, je choisirai ce qui conviendra le mieux à mes nouvelles compétences de cuisinière.

Je repose le combiné du téléphone en souriant, vivement demain !

Chapitre VIII

— Passe-moi le piment d'Espelette, s'il te plaît.

Guillaume s'exécute puis fait mine de goûter à ma préparation, en réponse je frappe ses doigts en grondant.

— On ne touche pas, ce n'est pas prêt !

Il rit en me servant un verre de porto rouge.

— Bois un coup, ça va te détendre !

Il préfère reculer en voyant mon regard.

— OK, OK, je vais faire un tour avec Lola, crie si tu as besoin de moi.

Je le regarde s'éloigner avec un petit sourire tout en me remémorant la journée précédente.

Il était arrivé à la maison vers 11heures, les bras chargés de sacs contenant des bouteilles de vin et des livres de recettes.

Il s'était visiblement donné beaucoup de mal.

Grâce étant végétarienne comme moi, Lucas flexitarien et Guillaume mangeant de tout, il avait fallu trouver des plats pouvant satisfaire tout le monde.

Guillaume avait posé le tout sur la table du salon et nous avions d'abord déjeuné d'une salade garnie, de pain gris et de fromages de la région qu'il avait eu la gentillesse d'apporter également.

J'avais pu l'observer à loisir, admirant son regard me couvant comme un bien précieux, ses mains fortes et larges, ses épaules carrées, son nez droit et son menton volontaire dévoilant un caractère plus fort qu'il ne le montrait ; je m'étais aussi attardé (longuement) sur ses lèvres charnues…

Il m'avait proposé divers plats et entrées, m'expliquant qu'il les avait choisis pour le mariage harmonieux avec tel ou tel vin.

Nous avions longuement cherché dans les livres de cuisine de quoi faire plaisir à nos amis, notant au passage notre admiration commune à leur encontre.

Je lui avais dévoilé la raison de ma venue puis, en réponse à ma confidence, il m'avait parlé de sa femme.

Margaux était une jeune fille de la région, aussi blonde que j'étais brune, elle avait grandi entourée de garçons, dont David et Guillaume.

Elle était très belle et possédait un caractère fonceur et entier camouflé par sa timidité pour qui ne la connaissait pas.

À l'adolescence, elle avait naturellement été prise dans les rivalités masculines de leur groupe.

David et Guillaume étaient les meilleurs amis du monde, la bataille les opposant pour Margaux était, du moins au début, amicale.

David avait l'habitude de gagner le cœur des filles, son charisme et son métissage l'aidant à séduire, mais cette fois, ce ne fut pas le cas.

Un soir, ayant trop bu, il avait tenté de forcer Margaux à l'embrasser, elle l'avait repoussé mais David insistait lourdement, Guillaume était intervenu et ça s'était très mal passé !

Ils s'étaient battus pour la première fois, Guillaume avait eu la main cassée et David un œil au beurre noir ; Margaux avait été choquée et s'était réfugié dans les bras de Guillaume.

Des mots avaient été dits, blessants, ils avaient 18 ans et cette bagarre avait sonné le glas de leur amitié.

— Après cette histoire, David nous a tous évités, il a changé et a commencé à jouer au patron avant de partir poursuivre ses études à Paris, avait expliqué Guillaume. Quand sa mère est décédée, il est revenu et a réclamé son héritage… découvrir que j'avais des parts dans la coopérative l'a mis en rage. Depuis ce jour, il est tout le temps en voyage. Il lui a fallu pas mal de temps avant de m'adresser à nouveau la parole.

— Et tu as épousé Margaux, avais-je conclu.

— Oui, jusqu'à ce qu'elle… il m'a fallu des années pour l'accepter. Maintenant, je garde au chaud nos souvenirs, elle fait partie de moi, son amour fait partie de moi, pour toujours.

Je lui avais répondu doucement.

— Et je trouve ça magnifique.

Il s'était tourné vers moi et m'avait regardé longuement, s'approchant puis me prenant la main.

Je ne m'étais pas dérobée cette fois et lui avais souri timidement.

Il avait pris mon visage entre ses mains et avait posé délicatement ses lèvres sur les miennes.

Je lui avais répondu, doucement d'abord puis avec passion, sentant mes jambes se dérober et mon cerveau éclater.

Il s'était écarté et m'avait dévisagé, étonné.

— Tu sens ce que je sens ?

— Oh oui ! avais-je répondu dans un souffle.

Il m'avait à nouveau embrassée ; mes jambes ne me tenant plus, il m'avait prise dans ses bras et portée jusqu'à la chambre.

84

La douceur de ses mains, son odeur piquante, cette sensation folle d'être à ma place et de ne former qu'un, cette jouissance si puissante que j'ai cru toucher le ciel... je ne les avais jamais ressentis.

Nous avions ri longtemps, nous serrant dans les bras comme des enfants ayant déballé leur plus beau cadeau.

Il avait pris mon menton entre ses doigts et posé un léger baiser sur mes lèvres en murmurant.

— J'adorerais te garder à mes côtés.

Voilà qui me donnait matière à réflexion.

Je ne pouvais pas nier ce que je venais de vivre : une explosion de bonheur et d'amour, littéralement !

Et je savais, sans l'ombre d'un doute, que mon compagnon ressentait la même chose.

C'était à peine croyable, j'avais trouvé mon âme sœur, et je me fichais éperdument d'utiliser les grands mots.

Mais je ne pouvais pas non plus nier que ma vie était à presque 1000 km de lui et que je risquais fort de me démolir, pour de bon cette fois.

À part répéter en boucle « Carpe diem », je ne voyais pas de solution.

Attristée, j'avais pris une douche, la chaleur m'aidant à relativiser les choses.

Je vivais une aventure belle et forte, rendue sans doute d'autant plus merveilleuse par la brièveté et l'attrait de l'impossible, autant en profiter puisque Guillaume ne semblait pas s'en faire.

Et pour une fois que mes sentiments étaient partagés, je me devais de savourer !

Séchée et habillée, c'est rassérénée que j'avais retrouvé Guillaume dans la cuisine.

Le voir mettre la table et préparer le café m'avait fait sourire : je n'étais pas habituée à ce genre d'attention.

— Du lait dans ton café ? avait-il demandé.

— Oui, merci, du lait végétal et pas de sucre.

Nous étions assis face à face et la conversation avait naturellement repris sur l'élaboration du repas de ce soir.

Le menu avait été arrêté : j'allais d'abord confectionner des amuse-bouches de toutes sortes dont une crème de chou-fleur accompagnée de chips de betterave qui, je le savais d'avance, allaient me donner des sueurs froides.

Ensuite en entrée, un millefeuille de betteraves, chèvre et basilic. En plat, un Tian aux tomates et à l'aubergine accompagné de brochettes de tofu et volaille.

Des baguettes apportées par Guillaume compléteraient le repas.

Et pour terminer : panna cotta au lait d'amandes garni de framboises, coulis de framboises et pistaches fraîches, un dessert que je maîtrisais parfaitement depuis toujours !

Nous avions décidé de descendre au village faire quelques courses, je n'avais pas grand-chose dans les placards de ma cuisine puisque mes repas étaient toujours préparés chez Grâce et Lucas.

Dans la voiture, je m'étais enfin décidé à lui parler de ma visite d'Aubenas et de la proposition de David que je regrettais d'avoir acceptée, connaissant maintenant leur histoire.

Devant mon air inquiet, Guillaume m'avait rassuré.

— C'est du passé, ne t'inquiète pas, et tu as bien fait, les caves du château sont incroyables !

Ensuite, il avait ajouté :

— Je pourrai t'y conduire, j'en profiterai pour saluer Jonathan.

— David doit venir me chercher, avais-je répondu, embarrassée.

— Je téléphonerai au château tout à l'heure pour avertir Jonathan et David que nous viendrons ensemble, avait-il décidé d'un ton ferme.

J'avais poussé un soupir de soulagement, appréciant sa prise de décision.

Je me sentais plus légère, affronter seule David en sachant ce qui l'avait opposé à Guillaume m'aurait mise mal à l'aise.

J'avais pu l'observer à loisir sur le chemin, il était concentré sur la route qui effleurait dangereusement la pente de la montagne : un profil grec qui contrastait avec une bouche gourmande, des cheveux gris clairsemés et coupés courts où on pouvait encore apercevoir des reflets blonds, ses petites lunettes lui donnaient un air sérieux et intellectuel qui n'allait pas avec ses mains, larges et puissantes, typiques des travailleurs de la terre.

Il était tout en angles droits, un homme doux et gentil avec un caractère entier et décidé, j'imaginais aisément que ses colères pouvaient être dangereuses.

Les courses finies, nous avions mangé légèrement avant de commencer les préparatifs du dîner.

Je voulais me débrouiller seule, c'était ma façon de remercier mes nouveaux amis.

Je ne voulais pas penser au départ qui se rapprochait forcément, juste vivre ces moments à 100 % !

Guillaume était revenu du jardin puis avait décidé de rentrer chez lui pour se changer, non sans avoir d'abord dressé la table : tournant comme un lion en cage il était incapable de ne rien faire alors qu'à l'opposé, il dégageait une énergie apaisante.

Ça m'amuse ce côté pile et face chez lui, non pas gris, mais blanc et noir.

À présent, il ne me reste plus que les bouteilles à ouvrir avant de me changer.

Je suis fière du résultat, j'ai fait de mon mieux et j'espère impressionner Lucas...

Chapitre IX

Mes invités étaient arrivés avec vingt bonnes minutes de retard, en bons ardéchois qui se respectent.

J'ai remarqué qu'ici cinq minutes se transforment facilement en trente, surtout en voiture, et que si une personne vous explique que la boulangerie est à 2 km, vous pouvez d'office ajouter un zéro au nombre donné !

On prend son temps, qui n'est finalement que relatif, et on en fait un art de vivre.

Pourtant aujourd'hui, le temps prend de plus en plus d'importance, il file bien trop vite et je commence à redouter la fin de mon séjour.

Guillaume était revenu quelques minutes avant nos amis, habillé d'un jeans foncé et d'une chemise en soie bordeaux.

J'avais accueilli son entrée d'un œil admiratif, il marchait toujours avec un léger balancement lui donnant l'air de rouler des épaules, ce qui me fait sourire tout en trouvant ça incroyablement attirant !

Il m'avait complimenté sur ma tenue, j'avais revêtu la robe noire que je portais à notre rencontre, lors du bal du village, puis m'avait tendu un bouquet de roses rouges d'un air gêné.

J'adore les fleurs, je lui ai sauté au cou.

Durant mon mariage, j'avais développé une allergie aux bouquets que m'offrait systématiquement mon mari aux dates dites officielles : mon anniversaire et la Saint-Valentin entre autres.

J'aurais tant voulu recevoir des fleurs de façon moins conventionnelle, mais Monsieur mon mari n'a jamais été un homme de surprises, il en avait déduit que je n'aimais pas ça et ne m'en avait plus jamais offert !

Grâce était entrée et m'avait serrée dans ses bras en passant la porte, son regard était clair : elle avait déjà compris qu'un rapprochement s'était opéré avec Guillaume.

J'avais levé les yeux au ciel en souriant.

— Oh, toi ! On ne peut rien te cacher !

— C'est-à-dire ? avait demandé Lucas en entrant à sa suite, s'interrogeant sur nos rires complices.

En réponse, Guillaume m'avait prise par les épaules et Lucas avait levé les bras en s'exclamant :

— Magnifique !

Le repas s'était déroulé dans une atmosphère bon enfant, Lucas n'avait pas tari d'éloges sur chaque plat, que je lui renvoyais aussitôt, vantant ses mérites d'enseignant.

Guillaume servait le vin et nos verres n'étaient jamais vides.

C'est donc un peu éméché que nous finissions la soirée au salon.

— J'ai apporté un excellent Armagnac, dit Guillaume avant de s'asseoir, je vous sers un verre ?

— Merci, mais pas pour moi, répond Grâce en se levant, je vais aider Dana à faire la vaisselle.

Je n'ai aucune envie de sortir du fauteuil moelleux mais devant son regard insistant, je la suis dans la cuisine.

90

Grâce fit couler l'eau chaude dans l'évier puis me demande sans se retourner :

— C'est sérieux ?

Autant être sincère.

— Oui.

— Et après ?

— Je n'en ai aucune idée Grâce, et je peux te jurer que j'essaie de toutes mes forces de ne pas y penser !

— Pourtant ma belle, il va falloir... je n'ai plus vu Guillaume aussi heureux depuis des années, et toi ma douce, tu rayonnes enfin !

Je restai un moment, silencieuse, à essuyer la vaisselle qu'elle me tendait et la rangeant dans les armoires tout en écoutant la voix des hommes venant du salon, rauque et puissante pour Lucas, plus grave et chaude pour Guillaume.

Lucas passa un moment sa tête dans l'encadrement de la porte mais Grâce le renvoya avec un sourire tout en disant :

— Ne crois pas que ça va devenir une habitude, la prochaine fois, nous échangerons nos places.

Je finis par lui répondre pensive.

— Guillaume n'a pas l'air de se poser de questions, mais je me doute qu'il garde ça au fond de lui. De toute façon, c'est une conversation que nous devrons avoir à un moment donné.

Pour toute réponse, Grâce entoura mes épaules d'un geste affectueux en me murmurant :

— Ne vous faites pas de mal, c'est tout ce que je peux te conseiller, et je suis sincèrement heureuse !

Cette conversation a continué à résonner longtemps après le départ de mes invités.

Guillaume s'était levé à l'aurore, et j'étais seule avec mes pensées jusqu'au lendemain.

Nous avions convenu qu'il viendrait me chercher à 11 h puis m'accompagnerait jusqu'au Château, mais aujourd'hui, il avait du travail dans les vignes et de l'administratif en retard.

Je devinais aussi une attention envers moi, l'envie de me laisser un espace de liberté, de ne pas m'étouffer.

C'était délicat et j'appréciais, ce qui hélas, rendait les choses encore plus compliquées.

Cet amour étrangement fort et soudain me semble irréel.

J'ai pourtant aimé plus d'une fois dans ma vie, j'ai eu quelques liaisons, des aventures et je suis passée par la case mariage.

Mais je suis toujours restée avec un sentiment de trop peu, comme si, pour tous ces hommes, le jeu se jouait à un niveau plus bas.

Sans parler de mon mariage, qui ne m'a rien apporté de positif hormis mes enfants et qui ne fut qu'une regrettable erreur de jugement de ma part : je n'avais plus osé revenir sur ma parole quand je m'en étais rendu compte, et si aujourd'hui, il est trop tard pour réparer le passé, il est toujours temps de me construire un avenir à ma mesure !

Avant de me quitter ce matin, Guillaume avait pris mon visage entre ses mains et m'avait murmuré en me regardant dans les yeux :

— Je te promets que je ne te ferai jamais de mal, je serai toujours là pour toi. Je sais qu'ici c'est loin de ta vie, mais il y a des tas de moyens... tu veux bien y réfléchir ?

Je n'avais pas répondu, je l'avais laissé partir sans un mot, lui donnant un long baiser pour le rassurer.

Dans un mois, je rentrerai chez moi et je ne peux honnêtement rien lui promettre, la distance reste un frein, quoi qu'il dise.

Il est 9 h et je décide de prendre mon sac à dos et de partir marcher dans les bois avant la chaleur.

Lola est moins enthousiaste que d'habitude, elle dort moins bien depuis que Guillaume passe la nuit avec moi.

Mais j'ai besoin d'éliminer le repas d'hier et de sortir des brumes d'alcool qui m'empêchent de réfléchir.

Je prends le petit chemin qui mène au sommet de la montagne, ressentant un besoin d'air frais.

Arrivée après 30 minutes, je me pose sur une grosse pierre, en transpiration, la chaleur est lourde une fois que l'on sort du couvert des arbres.

Le son du cor se met à résonner du sommet opposé.

C'est étrange, ce n'est pas son heure, je l'ai toujours entendu en début de soirée.

Intriguée, je me concentre sur la masse verte qui me fait face et l'entend résonner à nouveau, mais plus faiblement cette fois.

Mais enfin, qui joue de cet instrument ?

J'ai oublié d'en parler à Guillaume, et Grâce n'en a aucune idée sinon elle me l'aurait dit quand je l'ai interrogée à son propos.

Est-ce de ce sorcier que m'a parlé Léo ? Un Hermite des montagnes de l'Ardèche, musicien de surcroît ?

Le son est entêtant, presque triste, résonnant aujourd'hui en moi comme un glas, me faisant frissonner.

Je me lève brusquement, faisant sursauter Lola qui grogne et se recouche sur le flan.

— OK, ma belle, je te laisse souffler encore un peu.

Je me rassieds de l'autre côté de la grosse pierre afin de glaner un peu d'ombre, ici tout est roche et poussière, le soleil tapant crûment tout au long de l'année et la pente empêchant la montagne de garder l'eau de pluie.

Un gros lézard sort de sa cachette pour filer à mon premier soupir.

Je laisse ma tête s'imprégner de ce silence magnifique, interrompu seulement par les criquets et les oiseaux répondant au souffle du vent.

Le cor s'est arrêté, me laissant seule avec mes interrogations sur ma vie, Guillaume et cette petite musique qui refuse aujourd'hui de jouer la nuit.

C'est un combat permanent chez moi : je suis assaillie par les questions, n'arrivant que rarement à lâcher prise.

Je me mets en position du lotus, essayant de méditer : les réponses viendront d'elles-mêmes, du moins je l'espère.

Je plonge au plus profond de moi et comme toujours, y trouve un silence apaisant, une chaleur douce et bienveillante, un amour infini.

La méditation est depuis longtemps une amie qui me guide, une main qui m'assied et stoppe le flot de mes pensées parasites.

C'est un moment où seul l'amour a le droit de parole.

J'en émerge après de longues minutes, apaisée, mais sans avoir résolu mon problème.

Habituellement, je laisserais les choses suivre leur cours, mais je ne peux pas faire ça aujourd'hui, je dois répondre à Guillaume, je dois décider quel chemin je vais prendre, choisir ma vie !

Ça paraît si simple dit comme ça...

Mon cœur pulse au rythme de la montagne, il s'est aligné sur elle.

Je ressens sa force qui me renvoie à la vacuité de mon existence actuelle.

Pourtant je sais ce qui me retient : la peur !

Mon éternelle ennemie, celle qui vit tapie dans l'ombre jusqu'au moment où elle pourra de nouveau reprendre possession de l'espace.

Je refuse de la laisser gagner, je ne dois pas baser mes choix en fonction d'elle. Ce serait si facile pourtant, moins fatiguant, mais à quoi bon vivre alors ?

C'est ce que j'ai fait en choisissant Charles : je lui ai offert une place permanente dans ma maison.

Il n'est pas question que je recommence, elle restera dehors et finira momifiée devant ma porte si ça lui chante mais elle n'entrera plus !

Je prendrai cette décision avec mon cœur, ma conscience et mon âme, sans interférences extérieures.

Lola s'est relevée et renifle la pierre contre laquelle je suis appuyée, balayant la poussière de sa queue : elle a senti la présence du lézard toujours caché.

Il est temps de rentrer, la chaleur pèse sur mon crâne.

En chemin vers la maison, je suis à nouveau envahie de questions : si je dis oui à Guillaume, comment faire avec ma vie, mon métier ?

Et mes filles ? Je ne les verrai plus ?

— Ça suffit !

Je crie et me frappe la tête, une chose à la fois !

Je suis certaine que l'univers a un plan, il ne m'aurait pas offert une si belle opportunité si c'était pour me rendre la vie infernale ; le problème c'est moi, pas ce choix, pas Guillaume.

Je me mets encore des barrières, Madame la peur a fait son entrée et ricane en me voyant mordre à l'hameçon qu'elle me tend.

Pourquoi ai-je toujours choisi la solution la plus facile, celle où j'étais libre et seule ?

Pourquoi ?

Grâce m'attend dans la châtaigneraie, couchée sur un transat.

D'un commun accord et fidèles à nos habitudes, nous nous dirigeons vers la petite terrasse où je lui décris mes pensées.

— C'est à cause de ma mère Grâce, je le sais depuis longtemps... j'ai fait une thérapie et j'ai compris tous les rouages de mes choix, le pourquoi de mes peurs.

Elle reste silencieuse, m'encourageant à continuer.

— Elle m'a laissé partir chez mes grands-parents alors que je n'avais que trois semaines, par la suite ma vie n'a été que trajets entre ces deux maisons. J'ai eu l'impression d'être abandonnée en boucle par chacun d'eux. Un déchirement qui n'a jamais cessé, une guerre entre deux clans dont je n'étais que l'excuse.

Je continue :

— C'est une bonne vieille peur de l'abandon Grâce, et c'est très difficile pour moi de la surmonter...

— Je comprends mieux, me répond Grâce, je peux essayer de te rassurer en te disant que Guillaume n'est pas le genre d'homme à faire souffrir une femme, que ce soit par jalousie ou par orgueil.

— Je l'ai bien compris, répondis-je, mais ma peur a aussi une autre racine, celle de la mort, qui a pris ceux que j'aimais, et Guillaume en est imprégné.

— Margaux... murmure Grâce.

— Si je suis ta logique, j'en suis imprégnée aussi, dit-elle avec une grimace.

— Bien sûr que non ! Tu as construit quelque chose de nouveau, tu nages dans le bonheur, Guillaume lui, vit avec le fantôme de Margaux en permanence.

Elle me répond :

— Tu devrais lui en parler...

— Il m'en a parlé, m'a dit que cet amour restera en lui, ce que je comprends, le contraire serait anormal.

Je soupire.

— Non, je cherche encore des excuses… en fait, ce n'est pas lui le problème, c'est moi, m'engager à ce point, c'est risquer de le perdre ! Je connais mes blocages par cœur, le problème est que je n'arrive pas à les surmonter.

Grâce se lève brusquement avec un grand sourire.

— J'ai une idée : je vais t'emmener chez Oriana ! C'est sa spécialité, elle est kinésiologue, elle va te dénouer tout ça !

Après tout pourquoi pas, j'ai déjà tout essayé pour avancer vers la voie de la confiance et chaque fois, j'ai échoué.

Je me suis mis des bâtons dans les roues, sciemment, en choisissant des hommes inaccessibles ou tellement emplis de traits de caractère ne me correspondant pas que je sabotais mes moindres chances.

Et le savoir ne suffit pas à changer cet état de fait, ces blocages sont en moi !

Après un rapide coup de téléphone, Grâce monte dans ma voiture et me presse pendant que j'enferme Lola dans la maison.

— Tu as de la chance qu'elle soit libre de suite, me dit-elle, bientôt son cabinet sera envahi par les touristes.

Nous parcourons les kilomètres de chemin de montagne dans le silence, Grâce m'épargnant une conversation.

La route est remplie de cailloux et de poussières, nous traversons quelques petits hameaux constitués de vieilles bâtisses en pierres grises gémissant sous les rayons du soleil, les habituelles stridulations nous accompagnant jusqu'à la porte d'Oriana.

Sa maison est à rue, la dernière du chemin de ce côté de la montagne, entourée de sapins et semblant défendre la forêt.

Sur les petits murs gris enserrant l'avant de la maison, comme deux grands bras protecteurs, sont posées des figurines de gnomes en pierre.

Devant mon regard, Grâce m'explique qu'il s'agit des sculptures du même artiste que celles de la petite maison.

D'énormes tournesols parent chaque côté de la porte d'entrée peinte en mauve.

Oriana apparaît dans l'encadrement, souriante.

L'impression étrange de voir l'apparition d'un ange me laisse sans voix.

Il est vrai qu'elle porte une longue robe blanche aérienne et que ses cheveux blonds sont piqués de petites fleurs pâles, je l'embrasse sur chaque joue en la remerciant d'accepter de me recevoir sans rendez-vous.

— Avec plaisir, Dana, me répond-elle.

Nous entrons dans une pièce emplie de sacs en osier de toutes tailles contenant des herbes et des fleurs séchées.

— J'utilise les simples pour mes soins, m'explique-t-elle, c'est un savoir transmit par ma grand-mère qui le tenait de sa mère et ainsi de suite, un bel héritage familial ! conclut-elle.

Je lui confie :

— J'admire beaucoup, je n'y connais rien.

— J'ai tout de même suivi des formations, par précaution vis-à-vis de la loi mais aussi pour rassurer les gens ; on veut des diplômes maintenant pour accepter le savoir des gens, soupire-t-elle.

— Notre jardin en contient un petit assortiment utilisable aussi en cuisine, m'explique Grâce avant de continuer, voici la sauge demandée Oriana.

Cette dernière me sourit en précisant :

— Ils me dépannent de temps en temps, merci Grâce !

Notre hôtesse nous conduit dans son salon, une large pièce comprenant la cuisine avec vue sur la forêt.

Elle me montre les travaux réalisés afin de rendre la maison plus confortable : la grande baie vitrée, la terrasse, la cuisine moderne, le tout en bois clair et frais, patiné de blanc.

Une grande étagère remplie de bocaux contenant les simples ainsi que des mélanges composés de diverses plantes et une immense table occupent tout l'espace.

Grâce s'assied naturellement dans un des fauteuils en osier.

— Je t'attendrai ici, j'ai tout mon temps, me précise-t-elle tout en prenant un des nombreux livres posés à même le sol à côté d'elle, visiblement à l'aise et habituée du lieu.

Oriana me conduit dans une petite pièce que je n'avais pas remarquée, la porte y menant étant dissimulée par un paravent.

Une table de massage est placée au centre de la pièce, les volets sont fermés.

L'endroit est agréable, préservé de la chaleur extérieure, les murs sont peints dans un ton violet chaleureux.

Sur une longue commode en bois sont placés plusieurs bocaux en verre contenant tout le nécessaire aux soins : huiles de massage, huiles essentielles, mélanges de plantes, essences de simples ainsi que diverses serviettes de toilette et des plaids de couleur vert eau.

Un évier en céramique est placé dans l'angle de la pièce, à côté de la commode.

De l'autre côté, une énorme lampe de sel est posée sur le sol à côté d'une petite table où se trouve un diffuseur d'odeur, je reconnais vaguement celle de la lavande.

— Tu peux enlever tes chaussures et te coucher sur la table, mets-toi à l'aise pendant que j'allume les bougies.

La pièce est aussitôt plongée dans une atmosphère plus chaleureuse.

— Tu veux m'expliquer pourquoi tu viens ou tu préfères que je travaille en silence ? me demande-t-elle.

Après une brève hésitation, je lui raconte, dans un flot incontrôlable de mots jaillissant de ma bouche à une vitesse fulgurante, ce qui m'amène chez elle.

Elle ne fait aucun commentaire, me sourit, puis me dit de me laisser aller, de parler si je veux, de pleurer ou de rire, me rassurant sur le fait qu'elle est aussi tenue au secret professionnel.

Ce qu'elle me fait ressemble au Reiki, je sens son énergie travailler pendant que mon corps devient indépendant de ma volonté et lui raconte ma vie.

Après plusieurs minutes de révélations, une grosse boule se forme au niveau de ma gorge et mon cœur semble prêt à éclater, j'essaie de contenir cette émotion puissante qui me saisit mais son travail sur moi est plus fort : je me mets à sangloter.

Je me vide de ce trou béant dans mon cœur, de ce déchirement de petit enfant, de ma peur d'aimer pour éviter de perdre les gens qui me sont chers, je verse des larmes emplies de la douleur de cette petite fille que j'étais qui n'a pu que subir alors qu'elle voulait aimer tout le monde.

Oriana me rassure pendant tout le travail, me disant que toutes ces douleurs étaient déjà à la surface et n'attendaient qu'un petit coup de pouce pour s'échapper.

Je sors de cette séance épuisée, mal dans mon corps, le cœur au bord des lèvres, mais pourtant confiante.

Elle m'explique qu'il faudra deux-trois jours pour me sentir mieux, que je peux crier ou pleurer si j'en ressens le besoin, avant d'ajouter : « Je ne pense pas que ça arrivera encore, tu as lâché le plus gros de tes blocages en une fois, tu vas être épuisée. Repose-toi aujourd'hui, et n'hésite pas à aller dormir de bonne heure. »

Encore une fois, Grâce respecte mon silence sur le trajet de retour et me quitte devant la maison en me serrant dans ses bras.

— À demain, Dana, repose-toi !

Je réponds piteusement :

— Merci.

Je réchauffe mon dîner en silence avant la dernière sortie de la chienne, puis m'écroule, déjà inconsciente, dans le grand lit.

Chapitre X

Il est onze heures trente quand nous arrivons au Château.

Guillaume m'ouvre galamment la portière de la voiture et me tend la main avec un sourire qui me réchauffe le cœur avant de m'emmener devant la grande porte d'entrée en bois et fer forgé.

Un homme d'une septantaine d'années vint nous ouvrir et Guillaume le prend dans ses bras avant de faire les présentations.

— Jean, je te présente Dana.

— Dana, voici Jean ; sa femme, Claire, était la meilleure amie de ma mère. Elle était aussi ma nounou, précise-t-il.

L'homme qui me regarde avec attention est habillé de façon classique, les cheveux blancs, coupés courts, avec une maigreur qui le marque et semble l'affaiblir.

Il a été très beau pourtant, cela se voit encore, et garde une grande distinction.

— Je vais prévenir David, dit-il, avant de s'éloigner à petits pas, droit et raide.

Guillaume m'entraîne dans le salon d'accueil et me confie :

— Jean et Claire étaient aussi les parents de Margaux.

Mes yeux s'arrondissent d'étonnement.

Je me retiens de reprocher à Guillaume de ne m'en avoir jamais parlé, je suis loin de tout savoir sur sa vie comme lui sur la mienne.

Je préfère demander plus de précisions.

— Et ils travaillaient ici ?

— Oui, depuis toujours. Margaux a grandi ici, Claire s'occupait de l'intendance du Château et Jean des jardins, alors que mes parents entretenaient et géraient les vignobles. Quand Claire est décédée, Jean a repris l'intendance, il est trop âgé maintenant pour s'occuper des extérieurs.

Je comprends un peu mieux le triangle formé par Margaux, David et Guillaume.

Ils ont grandi ici, deux d'entre eux enfants des employés, et le troisième fils des patrons.

Les enfants n'ont pas ces préjugés de classe sociale qu'ont les adultes, ça a dû être un vrai bonheur de passer son enfance dans ces montagnes, au milieu des vignes, dans un village où chacun connaît son voisin et veille sur les enfants.

J'imagine le tableau d'une enfance idyllique, en romantique indécrottable.

Guillaume me ramène sur terre en se levant brusquement : un homme âgé vient d'entrer dans la pièce.

Ses cheveux gris sont huilés en arrière comme beaucoup d'hommes de sa génération, il est habillé d'un costume gris sur une chemise noire et s'avance vers nous, marchant vite pour un homme que je juge fort âgé.

Je suis impressionnée par son allure, sa prestance, je regrette presque de ne pas être mieux habillée, je suis en jeans et tongs avec un tee-shirt léger sans manches.

Guillaume s'empresse de faire les présentations.

— Jonathan, je te présente Dana, elle a été invitée par David pour une visite des caves.

Tout en parlant, il me prend ostensiblement la main afin, j'imagine, d'ôter toute pensée équivoque sur moi et David.

Jonathan me salue d'une voix chaude, roulant les « r »

— Enchanté, chère Madame, bienvenue au Château.

— Merci de me recevoir, c'est la première fois que je visite ce genre d'endroit.

— Je vous laisse, nous interrompt Guillaume, je vais dans les cuisines, tu peux m'y rejoindre quand tu auras fini, précise-t-il à mon intention.

Je confirme par un petit mouvement de tête.

Jonathan me propose galamment son bras et m'entraîne vers l'aile droite du Château tout en me parlant.

— Je suis très heureux que Guillaume ait trouvé son bonheur, dit-il me faisant rougir, venez, mon fils vous attend.

Nous traversons l'aile et sortons à l'arrière du Château où se trouve un autre bâtiment, invisible quand on arrive, et donnant sur un petit vignoble.

Mon hôte m'emmène dans un grand hangar contenant tout le matériel vinicole et viticole et m'explique qu'ils n'ont que deux tracteurs, l'essentiel du travail se faisant à la main.

Les fils de Guillaume sont là, à réparer un moteur et vérifier le matériel.

Ils me saluent avec des clins d'œil.

— Salut, Dana !

Jonathan me délaisse un instant pour plaisanter avec eux.

Ils s'entendent visiblement à merveille, le vieil homme leur prenant familièrement le bras et les tapotant dans le dos en signe d'encouragement.

Revenant vers moi, il me précise :

— Luc et Vincent sont mes apprentis, je veux qu'ils maîtrisent toutes les étapes de la confection du vin, y compris la mécanique et la réparation des tracteurs.

— Vous les avez pris sous votre aile, je constate.

Il me sourit et sans répondre, m'entraîne vers le fond du bâtiment.

Je réalise soudain que je ne connaissais pas les prénoms des fils de Guillaume tout comme lui ignore ceux de mes filles, il est clair que si nous voulons avancer dans cette histoire, nous ferions bien de faire connaissance de façon plus formelle !

Je souris intérieurement en réalisant que je viens de penser à « avancer » dans la relation.

Derrière le premier hangar, un deuxième lui succède contenant d'immenses cuves en inox devant lesquelles m'attend un David souriant.

Il est habillé d'un tee-shirt blanc beaucoup trop déchiré à mon sens, tout comme son jeans d'ailleurs, ses muscles saillants visibles et mis en valeur.

Sa beauté insolente me fait sourire, le spectacle est beau et j'en profite ; mais je ne ressens plus d'attirance, mon cœur et mon corps appartiennent désormais à Guillaume.

David m'accueille sans faire de manière et m'embrasse sur chaque joue avec une main un peu trop appuyée dans mon dos.

— Bienvenue dans mon domaine, dit-il.

Jonathan le coupe d'un ton sec.

— Mon domaine fils, si tu permets…

— Papa, si tu veux bien, je vais m'occuper de mon invitée, lui rétorque-t-il, son sourire disparu.

Jonathan se tourne vers moi et s'incline légèrement.

— Je vous abandonne ici, permettez-moi de vous convier ensuite pour un déjeuner léger, sans façon.

J'accepte avec plaisir sa proposition.

L'homme me plaît et j'ai envie d'en savoir plus sur cette famille ainsi que sur les liens qui unissaient Guillaume à ses amis.

Durant la visite, David flirte avec moi, m'effleurant les bras ou le dos à chaque occasion ce qui me met de plus en plus mal à l'aise.

Je suis loin de l'atmosphère bon enfant de la maison de Guillaume.

Nous sortons des hangars pour retourner dans le bâtiment principal par une grande porte à l'arrière de celui-ci, faisant penser à l'entrée d'une ancienne grange.

L'espace est tapissé de grosses pierres grises comme on en voit dans les vieux châteaux.

D'innombrables barriques s'y trouvent, plongées dans une semi-pénombre, aucune fenêtre n'éclairant l'endroit ; je frissonne, il y fait froid.

David m'explique :

— Tout ceci a été reconstruit et aménagé pour les vins ; à l'origine, les vieux tonneaux étaient dans le grand hangar.

Il me désigne un escalier de pierre en colimaçon au fond de la pièce.

— Les bouteilles se trouvent dans les caves dessous, l'escalier lui, est d'origine.

Après m'avoir expliqué comment se passe le travail du vin dans les cuves en inox ou dans les tonneaux en bois, il me propose de descendre dans les caves.

Je ne suis pas certaine que me retrouver avec lui dans un espace froid et sombre soit une bonne idée, mais je n'ai pas le choix si je veux éviter de me montrer impolie.

Il passe devant moi, respectueux des bonnes manières.

Arrivée en bas, je m'arrête, ébahie devant la quantité astronomique de bouteilles, c'est incroyable !

Devant moi, des « Cornas » 2012 dans de prestigieuses cuvées dont Guillaume m'a longuement parlé côtoient quelques

« Côte-Rôtie » ainsi que de précieux vins de renommées mondiales.

La cave suivante est réservée à la collection personnelle de Jonathan, une porte en fer forgée, verrouillée, en empêche l'accès ; David m'explique que seuls Jean et son père en ont la clé.

La température froide de la cave n'a pas l'air de calmer le tempérament volcanique de mon guide qui me propose d'ouvrir une bouteille.

Cette fois, je refuse catégoriquement sous un prétexte fallacieux.

— C'est vraiment gentil de ta part David, mais ce que j'ai mangé hier me reste encore sur l'estomac et j'ai peur de ne pas pouvoir faire honneur à de tels vins... une autre fois ?

Je me connais suffisamment pour savoir que l'alcool fait sauter mes barrières, mais en l'occurrence, ce n'est pas une quelconque attirance qui me gêne.

— Ne me dis pas, ma belle Dana, que ce cher Guillaume te suffit ? dit-il doucement en se rapprochant de moi.

Je recule contre un tonneau.

— Écoute David, j'ai apprécié cette visite, vraiment, alors s'il te plaît, ne gâche pas tout.

— Je n'ai aucune envie de gâcher quoi que ce soit, je te propose au contraire, de rendre cet instant plus intéressant, et nous avions commencé quelque chose.

— Nous n'avons rien commencé du tout, boire un verre ne veut pas dire oui figure-toi !

Mais il continue sa progression et finit par me coincer en se collant contre moi.

Je pose ma main sur son torse pour tenter de l'arrêter, honnêtement je commence à avoir peur et ça doit se voir car il s'arrête net et me rétorque, en colère.

— Mais enfin, je ne vais pas te faire du mal ! Ne me dis pas que tu as peur de moi ? C'est un jeu, c'est tout !

Il fait volte-face brusquement et me lance, sans plus me regarder.

— Tant pis si tu ne veux pas y jouer, la visite est terminée !

Je suis consternée et me sens un peu idiote, je tente de m'excuser.

— Désolée David si j'ai pu te laisser croire que j'étais partante pour ce genre de… de jeu. Je suis du genre fidèle vois-tu, et pour le moment je suis avec Guillaume.

Je regrette aussitôt mes paroles, ce « pour le moment » était du plus mauvais goût !

En tout cas, David l'a entendu car il se retourne vers moi avec un sourire carnassier.

— Alors, nous verrons. Remontons.

En quelque sorte, je lui ai rendu son pouvoir… les hommes et leur orgueil !

Nous sortons des caves et David me laisse seule au milieu de la cour sans un regard vers moi.

Heureusement, Jean est là, semblant m'attendre depuis une éternité, debout et fier, bien que légèrement tremblant.

Il m'emmène dans une immense bibliothèque tout en bois d'acajou et en tissus rouges ; une jolie table y est dressée, royale.

— Monsieur vous prie de l'excuser, il sera là dans quelques minutes, me dit Jean.

Je bredouille, peu habitée à ces manières.

— Et… Monsieur, enfin Jean, vous savez me dire où je peux trouver Guillaume ?

108

— C'est la raison du retard de Monsieur, il vous en parlera.

En attendant Jonathan, je parcours des yeux la bibliothèque, chaque livre y est rangé par catégorie.

La section « Roman » attire forcément mon attention et j'y retrouve les grands noms des siècles passés dans des éditions prestigieuses.

— Vous aimez la lecture ? Jonathan est entré sans bruit.

Je me retourne le sourire aux lèvres.

— Dana s'il vous plaît, oui, je ne saurais pas me passer de lecture, cette pièce c'est comme un rêve pour moi, vous avez une bibliothèque magnifique !

Jonathan s'approche de la table et tire une chaise en me faisant signe de m'asseoir.

— Prenez place, je vous en prie.

Je suis intimidée et n'ose pas l'interroger sur l'absence de Guillaume, cependant il y vient de lui-même et me rassure.

— Nous avons eu un souci avec des fournisseurs pour le matériel agricole, Guillaume est parti avec Vincent et Luc, il vous demande de l'excuser. Je me chargerai de vous raccompagner, si vous le voulez bien.

— Avec plaisir, merci.

Nous mangeons en silence nos salades accompagnées de pain, de fromage et de vin léger.

J'observe mon hôte à la dérobée, en Roi dans son domaine, il semble très à l'aise dans son rôle.

Je ressens pour lui une sympathie spontanée et décide de lui poser la question qui me brûle les lèvres.

— Guillaume m'a dit que Margaux avait grandi ici avec lui et votre fils.

Jonathan dépose sa fourchette et me regarde douloureusement, me faisant regretter mon indiscrétion.

— Oui, en effet, la petite Margaux... il soupire avant de continuer, c'était un rayon de soleil cette enfant, David en était fort jaloux. Elle courait partout, grimpait sur nos genoux, fabriquait des cabanes dans la bibliothèque. En grandissant, elle était devenue une jeune femme magnifique.

Il se tait, perdu dans ses pensées.

— Je suis désolée, dis-je, je ne voulais pas réveiller des souvenirs douloureux.

— Ne le soyez pas, c'est précieux vous savez un souvenir.

Il se remet à manger tout en continuant ses confidences.

— Guillaume a eu bien du mal à s'en remettre, comme nous tous.

— J'imagine que Jean doit être dévasté, sa femme et sa fille, c'est beaucoup pour un seul homme, dis-je.

— Oui, Jean, en effet, me répond-il évasif avant de continuer, David s'était entiché de Margaux, c'est pourtant Guillaume qui l'a épousée. Mon fils ne respecte que très moyennement les femmes voyez-vous, c'était donc mieux ainsi, mais David l'a très mal pris.

J'essaie de changer de sujet, pour alléger l'atmosphère.

— David m'a fait une visite complète de vos caves, c'est magnifique.

— David aime beaucoup se promener dans le domaine comme s'il lui appartenait déjà. Je sais que ça peut vous sembler choquant cette relation tendue entre un père et son fils, que voulez-vous, ce genre de chose arrive dans les meilleures familles...

— Je ne vous juge pas, j'ai moi-même eu des relations assez conflictuelles avec mes parents. Mais je trouve ça dommage, répondis-je.

— Vous avez raison sans doute, mais David est aussi têtu que moi, conclut-il en souriant.

Jonathan s'interrompt et lève son verre.

— À votre santé, Dana, à votre vie parmi nous.

— Malheureusement, je repars bientôt.

Je le vois hausser les sourcils.

— Oh, je pensais… laissons cela, à votre santé !

Je réponds tristement.

— À votre santé, Jonathan.

Ce qui semble évident à ses yeux ouvre les miens sur ce que je risque de perdre, Jonathan semble croire à mon établissement ici et je ne lui jette pas la pierre : on ne se comporte pas comme je le fais quand on compte partir en laissant tout derrière soi !

Mais je n'ai rien calculé, toute cette histoire m'est tombée dessus sans crier gare, comme un cadeau du ciel, ou, selon la façon dont on le voit, comme une météorite balayant tout de son impact.

La vie fait parfois de bien jolis cadeaux qu'il serait malvenu de refuser.

En l'occurrence, je me dois sans doute d'accepter l'amour de Guillaume, tout comme offrir le mien serait bien plus facile que de fuir encore.

Qui suis-je après tout pour penser que l'univers se trompe sur ce qui m'est donné ?

Là, tout de suite, j'ai juste envie de dire merci et de manger le gâteau tout entier.

Vivre l'instant présent c'est simplement ça : profiter de ce qui est.

Alors, quand ça fait plaisir, c'est encore mieux !

Je regarde Jonathan et lui confie :

— Je voudrais rester vous savez, je n'ai rien calculé, mais je ne sais pas comment faire.

— Parfois, laissez faire la vie, c'est plus simple, me répond-il en souriant, confortant mes pensées.

Il se lève et m'invite à passer dans le salon au centre de la bibliothèque.

— Je vous ramènerai chez vous après le café, à moins que vous ne préfériez du thé ?

— Merci, en effet, je ne bois pas de café en journée.

Je m'assieds de la façon la plus digne possible sur le canapé en velours rouge, continuant à me sentir décalée dans ce décor fastueux, pendant que Jonathan appelle Jean.

Ce dernier arrive presque instantanément avec une desserte sur laquelle sont posés des tasses en fine porcelaine, du café, du thé Earl Grey et quelques pâtisseries.

— Encore merci pour votre invitation, c'était très agréable, dis-je.

— C'est moi qui vous remercie, me répond Jonathan en souriant, recevoir une dame est toujours un plaisir.

Je vois d'où David tient son côté enjôleur, mais chez son père il est empreint de savoir-vivre.

Il est 15 heures passé quand mon hôte m'invite à monter dans sa voiture : une petite Jeep blanche carrée adaptée à la circulation en montagne comme à n'importe quel terrain.

Moi qui m'attendais à être raccompagnée en voiture luxueuse conduite par Jean, je ris intérieurement.

Il roule doucement, tout en me parlant de la montagne avec emphase.

Il aime profondément l'Ardèche, il y a grandi, a hérité du domaine de son père et en a fait un patrimoine de renommée mondiale dont il est fier.

Il me parle des arbres qu'il aime et respecte profondément, de la conservation des espèces plus anciennes, du plaisir de marcher parmi eux, en s'imprégnant de leur force, de leur impermanence.

— Je tiens énormément à ces balades, me confie-t-il, c'est un réel plaisir, même si l'exercice m'est ordonné par mon médecin.

Son médecin ? J'espère qu'il n'est pas malade... mais je refoule cette pensée déprimante.

Je me sens bien avec cet homme, il me fait penser à mon grand-père par bien des points : la même ferveur, la même passion, de la douceur aussi, et cette élégance dans la tenue et le verbe que l'on ne trouve plus chez les hommes de ma génération.

En confiance, je lui dis mon sentiment.

— Merci, Dana, je suis flatté. Je vous avoue que j'apprécie également votre compagnie, me répond-il. Accepteriez-vous un pique-nique dans la montagne ? Il y a un endroit que je voudrais vous montrer.

Devant mon hésitation, il ajoute :

— Je vous le demande comme une faveur.

Intriguée, j'accepte et nous convenons d'un rendez-vous.

Il me dépose devant la petite maison et s'en va immédiatement, me laissant enchantée de mon après-midi avec lui, bien plus que de ma visite des caves du château.

J'ouvre la porte à Lola et me précipite vers le téléphone qui sonne bruyamment dans le silence de la maison.

Chapitre XI

— Allo ?

— Dana, c'est Guillaume, je suis désolé d'avoir dû t'abandonner.

— Ne t'inquiète pas, Jonathan a été formidable : il m'a invité à déjeuner et vient juste de me raccompagner !

Je passe sous silence l'épisode avec David et lui raconte le déjeuner ainsi que mon coup de cœur pour cet homme touchant.

— Il m'a aussi proposé un pique-nique dans un endroit secret de la montagne, c'est incroyable tu te rends compte !

— Hé bien ma chérie, je vais finir par être jaloux, répond-il en riant.

Nous raccrochons avec la promesse de nous retrouver le soir.

Je profite de ces quelques heures de solitude pour coucher mes pensées dans mon cahier.

Aussi loin que je me souvienne, j'ai toujours écrit mes sentiments dans un journal, le relire me permet de relativiser les choses, de comprendre mes réactions, d'analyser mes pensées.

Je sais aujourd'hui ce que je veux, la grande question est « comment ? »

Je pense à mes filles, à mes futurs petits-enfants, serais-je capable de vivre loin d'eux ?

D'un autre côté, ce n'est pas parce que l'on vit près de quelqu'un, géographiquement parlant, qu'on le voit plus souvent.

Il faut que je pense à moi, et pas uniquement à elles, j'ai fait ma part, et bien plus encore, et je serai toujours là dans les moments importants.

Et puis nous sommes au 21e siècle, il y a suffisamment de moyens de transport à notre disposition !

J'essaie de me persuader, mais mon cœur est comme coupé en deux… dois-je vraiment faire un choix ?

Il est temps que j'aie une conversation avec Guillaume, nous devons parler à cœur ouvert, tout mettre sur le tapis.

Je décroche à nouveau mon téléphone.

— Guillaume, c'est encore moi. Peux-tu venir un peu plus tôt ce soir ? Il faut qu'on parle.

Cette phrase : « Il faut qu'on parle » présage souvent une catastrophe.

Ce n'était pas mon intention, et je ne prends conscience de mon manque de diplomatie que le soir venu, en voyant le visage décomposé de Guillaume dans l'encadrement de la porte.

C'est la certitude de Jonathan sur mon établissement ici qui m'a obligée à ouvrir mes yeux d'autruche, et à relever ma tête du sable dans lequel elle s'enfonçait allègrement.

J'ai préparé des bouteilles de vin (oui : des !), d'abord parce que les grandes conversations prennent du temps, et ensuite parce que l'alcool délie les langues.

Je veux qu'on se dise tout, qu'on se raconte, même si je ne sais pas si Guillaume est prêt pour ça.

J'ai également préparé des toasts, des olives et des tas de petites choses à grignoter, ma table faisant plutôt penser aux préparatifs d'une longue soirée Netflix qu'aux prémices d'une conversation... j'ai fait ce que j'ai pu !

En voyant cette orgie alimentaire, le visage tourmenté et déjà fermé de mon compagnon s'adoucit : une femme qui veut rompre n'ouvre pas trois bouteilles !

— Que se passe-t-il ? me demande-t-il en s'asseyant.

— Il me reste peu de temps Guillaume, alors je voudrais... les mots s'étranglent dans ma gorge, je voudrais qu'on parle de nous.

— Je t'ai dit ce que je voulais, me répond-il doucement en me regardant dans les yeux.

— Oui, tu me l'as dit, après notre première nuit, mais on n'en a plus parlé. On ne connaît pas nos vies. Tu te rends compte que je ne connaissais pas les prénoms de tes fils jusqu'à cet après-midi !

Pour toute réponse, il me fait signe de m'asseoir à ses côtés en tapotant le divan du plat de la main et nous sert un verre.

— Désolé, tu as raison. On a fait les choses à l'envers.

Commence alors une très longue nuit où Guillaume me parle de ses parents, de Claire et Jean, de sa femme et de ses fils, de David, mais aussi de son amour pour la vigne, l'Ardèche et les montagnes.

Il me raconte comment il est tombé amoureux de Socrate et Jésus, ses boxers, une race de chien idéale pour les enfants à ses yeux ; il me détaille les travaux de sa maison, comment il a tout modernisé, se tuant à la tâche vingt heures par jour.

Je lui explique Lola et ses peurs, avant d'aborder les miennes.

Je lui raconte mon enfance écartelée, mon mariage raté, mes mésaventures amoureuses jusqu'à Charles et sa vie égocentrique, puis son départ qui a entraîné ma fuite ici, en espérant retrouver la joie de vivre.

Il me confie ses rêves de voyage, d'aurores boréales, je lui avoue mon amour des dauphins, des baleines et de toute la vie aquatique et animale en général.

Blottis l'un contre l'autre devant le feu de cheminée, enroulés dans de grands plaids chauds, nous parlons jusque tard dans la nuit, déroulant nos vies, nos pensées et nos désirs jusqu'au plus secret de nos âmes.

Nous vivons un moment rare, une nuit centrée sur nous.

Bien sûr, nous finissons aussi par chercher des solutions.

Je propose :

— On pourrait se voir pendant les congés.

— Je pourrais aussi faire les trajets, répond Guillaume, je demanderai à Jonathan de me confier les salons en Belgique.

— Tu passerais Noël avec moi et mes filles, et je viendrais au printemps.

Nous élaborons des plans, refusant de reconnaître que les relations à distance, ça ne marche qu'un temps.

Nous sommes plus proches que jamais et pourtant bien plus tristes.

— Tant pis, lance-t-il désespéré quand le matin approche, je plaque tout et je viens en Belgique !

C'est du grand n'importe quoi, mais son cri du cœur me sort brusquement des plans merveilleux mais impossibles que nous imaginions, m'obligeant à atterrir.

Je sais que retirer Guillaume de l'Ardèche ce serait comme sortir l'aigle de sa montagne ou le poisson de son eau : il étoufferait.

Je prends alors les choses en main et décide à sa place : si quelqu'un doit quitter son pays, ce sera moi !

Inutile de prendre une décision précipitée, ces choses-là demandent du temps et de l'organisation, des papiers à remplir aussi, du moins je l'imagine.

Voilà où nous en sommes à cinq heures du matin : lui à attendre et moi à piétiner sans avoir rien décidé.

J'en suis malade et Guillaume ne dit plus un mot.

Il vaudrait peut-être mieux renoncer, se dire qu'on a eu au moins la chance de vivre un amour refusé à tant de personnes.

Je lui confie mes pensées et il me regarde d'un air désolé, frottant ses mains, se levant et se rasseyant, comme si le mouvement allait faire surgir la solution.

Il finit par me prendre dans ses bras en me serrant fort.

— Il n'en est pas question tu entends, et s'il le faut, je partirai chez toi !

J'essaie d'ouvrir la bouche pour protester mais il me fait taire en posant un doigt dessus délicatement.

— Chut, ne dis plus rien. Il nous reste un peu de temps. Je dois partir, je vais d'abord prendre une douche, va te coucher tu es épuisée.

Il s'avance vers la salle de bains et se retourne avant d'y entrer.

— Je t'aime, n'oublie jamais ça.

Je vacille en l'entendant, mais je ne suis plus capable de rien, sauf peut-être de pleurer, je vais me coucher exténuée.

Je me réveille peu avant midi, aux appels de Grâce devant la porte d'entrée.

— Tu as une mine épouvantable ! me dit-elle en pénétrant dans la maison, mon panier-repas à la main.

Effectivement, mes yeux cernés attestent de ma nuit trop courte, et mon haleine chargée des nombreux verres consommés.

— Hé bien...

Elle rit devant les restes de nourriture et les bouteilles sur la table du salon.

Vêtue d'une longue robe orangée à franges, ses longs cheveux relevés en un chignon à la BB, elle est lumineuse et sa vue me donne encore plus mal à la tête.

D'autorité, elle prend les choses en main.

— Assieds-toi, dit-elle, je te prépare un cachet d'aspirine et un café !

Je m'affale dans le divan et contemple les restes de la veille avec désespoir...

— Ne t'inquiète pas, me dit Grâce en me tendant le cachet sauveur et un verre d'eau, je m'en occuperai, avale ça et ensuite, tu me racontes !

— Voilà, c'est fait, on a parlé, dis-je d'une voix rauque.

— Et ?

— Et il est prêt à tout plaquer pour me rejoindre, mais rassure-toi, il n'en est pas question.

Grâce prend mes mains dans les siennes.

— Et maintenant, la balle est dans ton camp !

J'appuie ma tête contre le dossier du fauteuil en soupirant.

— C'est peu de le dire !

Moi qui n'aie jamais pris de décision sur un coup de tête (hormis ma venue ici je l'admets), moi qui dois passer par tous les stades de la réflexion pour avancer, j'ai l'avenir de Guillaume (et le mien a fortiori) entre mes seules mains !

Je regarde Grâce et lui demande avec un sourire piteux.

— Tu veux bien de moi comme voisine ?

Elle me serre dans ses bras.

— Hoo ma chérie, tu devrais le savoir, ce serait merveilleux ! Mais je ne veux pas t'influencer. Nous sommes amies, et nous le resterons, que tu restes ici ou que tu repartes dans ton petit pays !

Cette petite phrase me réchauffe agréablement le cœur car elle signifie que notre amitié n'est ni commerciale ni temporaire. Et même si je le savais instinctivement, l'entendre dire me fait un bien fou.

Je pense à Julie, mon amie depuis mes quinze ans, de qui je n'ai plus aucune nouvelle.

Nous nous sommes éloignées, définitivement, je crois, étant sans doute devenues trop différentes.

Notre amitié restera un souvenir que je chérirai, même si j'en garde un goût amer… les caractères différents ne devraient pas séparer les gens, ni même les points de vue d'ailleurs !

Je pense à mes collègues, devenues des amies intimes, et je sais que ce qui a fait tenir notre petit groupe, c'est justement cette acceptation pleine et entière des autres, quoi que nous fassions.

Mais c'est ça la vie, les gens vont et viennent, longtemps, ou le temps d'un battement d'ailes, nous en apprenant à chaque fois un peu plus sur nous-mêmes et sur le monde qui nous entoure.

Mon amitié récente avec Grâce suit également ce chemin de tolérance et c'est ce que j'apprécie le plus.

Être heureux du bonheur de l'autre, que ce soit avec ou sans nous, c'est ça le secret !

Grâce, en me confirmant que notre attachement perdurera, peu importe ce que je déciderai, m'offre un beau cadeau : l'équivalent d'un grand rayon de soleil traversant mon cœur et mon âme.

Nous décidons de déjeuner ensemble, ou plutôt, Grâce décide de s'occuper du repas, car je reste « out » dans le divan.

En mangeant, je lui fais le récit détaillé de ma visite du Château et de mon coup de cœur pour Jonathan.

— Jonathan est un homme cultivé et distingué, me dit-elle, il est aussi un brin mystérieux... dommage que son fils soit aussi... elle soupire en balayant l'air de la main.

J'approuve et lui raconte ce que j'ai appris sur la famille, puis je conclus.

— J'ai l'impression qu'il aimerait se réconcilier avec son fils, mais c'est comme s'il avait baissé les bras... au fait, il m'emmène en pique-nique demain !

— Comment ? s'exclame Grâce en haussant les sourcils d'étonnement.

Je lui explique notre amour commun des balades en forêt et j'ajoute en riant :

— Ne me regarde pas ainsi, nous parlons d'un très vieux monsieur je te rappelle !

Il n'en fallait pas plus pour déclencher un fou rire suivi de récits d'aventures rocambolesques sur les hommes ! Ce petit plaisir souvent féminin qu'est la médisance se transforme toujours, avec Grâce, en vaste pièce de théâtre fantasmagorique !

L'après-midi avance à grands pas et Grâce doit rejoindre Lucas qui l'attend.

Je profite du fait qu'elle soit venue à pieds pour l'accompagner avec la chienne, savourant ce moment de complicité en silence.

Rentrée chez moi, je m'allonge sur un transat qui semble m'inviter devant la piscine, bien décidée à faire le point.

Évidemment, je m'y endors, reportant encore une fois les décisions à prendre.

La fraîcheur du soir me réveille et je fonce dans la salle de bains prendre une douche.

Je passe doucement le bout de mon index sur les motifs bleus, caressant les coquillages, les poissons et les sirènes en faïence pendant que l'eau chaude me remet les idées en place.

— Minthé !

J'ai crié. Toutes ces histoires m'ont fait oublier ma cousine que je m'étais promis d'appeler avant la fin de mon séjour.

Y avoir pensé sous la douche n'est sûrement pas un hasard car ma belle cousine n'est pas n'importe qui.

Elle a découvert le travail des énergies avant moi et nous avons évolué parallèlement sur nos chemins spirituels, nous rejoignant de temps à autre.

Quand moi je décidais d'abandonner les formations et soins pour me consacrer à mon évolution personnelle, et surtout à la protection animale, de son côté, elle devenait Chamane, hé oui !

Et pas n'importe laquelle : une Chamane de l'eau mondialement connue, récoltant les eaux de toute la terre pour les soigner (les « Aguas Unidas »).

Si je ne l'ai pas contacté plus tôt, c'est que je n'étais plus que l'ombre de moi-même et que je savais qu'en tant que guérisseuse, elle aurait voulu m'aider.

Non pas qu'elle aurait insisté devant un refus de ma part, mais simplement que j'aurais été incapable de refuser.

Et c'était important pour moi de m'en sortir seule, comme un ours blessé au fond de sa tanière, à nettoyer la mélasse dans laquelle j'étais.

Et s'il est vrai que parfois, on a besoin de la main tendue, je voulais vérifier qu'il restait encore assez de force en moi.

Je voulais aussi effacer pour un temps ma vie et mon passé, occulter mes amis comme ma famille et devenir, quatre mois durant, « l'inconnue de la montagne » qui, telle Vénus, naîtrait enfin à la beauté du monde.

Je ne pouvais pas savoir qu'ici, je trouverais un Botticelli en la personne de Guillaume, qui ne verrait que le beau en moi ; tout comme je n'imaginais pas non plus ces mains amies qui allaient se tendre et me rendre à la lumière.

Ma cousine décroche à la première sonnerie.

— Minthé, c'est Dana, surprise ! Je suis en Ardèche !

Nous convenons de nous retrouver dans deux jours à Joyeuse, ville de mes premières vacances en Ardèche.

Décidément, mon agenda commence à ressembler à celui d'un ministre !

Chapitre XII

Jonathan roule prudemment, m'emmenant vers le sommet et commentant de temps à autre le paysage.

Je le trouve très élégant, habillé dans un style début du XXe siècle, ses cheveux peignés en arrière et une casquette en guise de couvre-chef.

En son honneur, j'ai fait un effort vestimentaire, renonçant au jeans pour une jupe-culotte plus féminine, quoique pratique.

— Nous arrivons, me prévient-il, en s'enfonçant sur un chemin de terre afin de garer la petite Jeep.

— Le reste du trajet se fera à pied, précise-t-il.

— Avec plaisir, après tout nous sommes là pour profiter de la forêt !

La chienne qui nous accompagne s'ébroue, soulagée, une fois descendue de la voiture.

Je reconnais l'endroit, c'est le départ du fameux chemin de la Croix Blanche où Léo m'a emmené.

Nous avançons à travers bois pendant vingt bonnes minutes, moi et Lola en procession derrière Jonathan, respectant sa demande de rester dans ses pas.

— Voyez-vous, l'impact de l'homme sur la nature est souvent négatif, si nous pouvons l'éviter, faisons-le !

Ce en quoi je suis bien d'accord !

Nous avons dépassé depuis longtemps l'endroit où les rochers forment une piscine et nous sortons des bois brusquement.

Nous sommes arrivés : ici point de zone aride mais des sapins et quelques feuillus.

— Je les ai plantés moi-même, me confie Jonathan, un chaque année.

— C'est incroyable !

Le mur végétal semble protéger ce qui ressemble à une cabane, dissimulée par les sapins et surplombant la vallée.

— Venez, me dit Jonathan en me prenant délicatement le coude.

Je ne m'attendais pas à ça et je lui demande :

— Mais... c'est à vous ?

— Effectivement, me répond-il avec un petit sourire, j'ai acheté quelques parcelles et j'ai construit ce chalet il y a des années.

— On m'a raconté qu'un sorcier vivait ici...

Jonathan se met à rire.

— En effet, c'est moi qui ai fait courir ce bruit, pour me protéger des curieux.

En m'entraînant à l'intérieur, il continue ses explications.

— Je viens ici souvent, tous les soirs en été si je m'en sens capable ; parfois, je reste quelques jours. C'est un peu spartiate mais ça ne me gêne pas, au contraire. C'est mon refuge, personne ne connaît cet endroit.

Sa définition du « spartiate » est toute personnelle car l'intérieur du chalet, bien que petit, comporte tout le confort moderne nécessaire. Il y a une petite cuisine avec une table et deux chaises, ce qui ressemble à une cabine de douche dans le fond de l'unique pièce, et un immense lit couvert de couvertures et de gros coussins.

J'ouvre le robinet et m'exclame :

— Vous avez l'eau courante ?

Il rit en me répondant :

— J'ai installé un système de récupération d'eau de pluie et de filtration, il y a une réserve de nourriture sous le plancher et une petite cheminée pour se chauffer et cuire le repas.

Je suis admirative !

— C'est incroyable, vous avez pensé à tout ! Mais ça a dû vous prendre des années !

— En effet ! Mais avouez que ça en valait la peine.

Mon hôte pose deux gros coussins sur le sol de la terrasse, et nous nous asseyons dos au chalet pour pique-niquer, admirant la vue sur les différents sommets.

J'aperçois alors le Cor des Alpes posé sur la droite, attendant le coucher du soleil.

Je me relève d'un bond en m'exclamant.

— Le Cor, c'était vous alors !

— En effet.

— Je vous écoute depuis mon arrivée ici, c'est vraiment très beau.

Je m'interromps, pensive, puis m'assieds avant de continuer.

— Jonathan, si je peux me permettre, j'aimerais vous poser une question.

— Je vous en prie.

— Nous nous connaissons depuis quelques jours seulement, alors… pourquoi me montrer tout ça ?

Il regarde devant lui fixement.

— Vous voyez, sur le mont en face, un peu sur la droite, il y a votre maison, et de l'autre côté, à l'extrême gauche, la mienne.

Il soupire.

— Je me fais vieux, chère amie, et ma santé décline, c'est dans l'ordre des choses.

Je retiens mon souffle.

Il continue :

— Pour être honnête, c'est justement parce nous ne nous connaissons pas et que vous ne faites pas partie de la région que je peux me confier à vous. C'est aussi parce que vous êtes proche de Guillaume. Le jour où je ne serai plus là… non, ne dites rien, me coupe-t-il alors que j'ouvre la bouche, ce jour-là, je veux que vous montriez cet endroit à Guillaume.

Il se lève péniblement.

— Venez.

Il m'emmène derrière le chalet et me désigne une des poutres porteuses, ce que j'y lis me laisse bouche bée, muette d'étonnement.

— C'est une longue histoire, me dit Jonathan, je vais vous la conter, elle est liée à celle du Cor, et le jour venu, vous le ferez pour Guillaume.

Nous retournons sur la terrasse, et durant une longue heure, j'écoute Jonathan me raconter l'histoire de sa vie.

Émue, je ne peux empêcher mes larmes de couler.

— Ne pleurez pas, dit-il en me souriant gentiment, c'est une belle histoire et je ne regrette rien.

Je comprends mieux ses conseils à présent, et dire que je fais des manières, que j'hésite à vivre pleinement mon aventure avec Guillaume pour une question de kilomètres, je me sens ridicule !

— Je vous donne ma parole Jonathan, je garderai votre secret jusqu'à…

Je préfère me taire.

— Merci, chère amie.

Il n'y a pas besoin d'autres mots, nous venons de sceller notre accord.

Je comprends que Jonathan ne veuille pas en parler de son vivant, trop de gens souffriraient.

Le passé ne peut être défait, et même s'il le pouvait mille fois, mille fois Jonathan choisirait de ne rien changer.

Nous passons le reste de l'après-midi sur la terrasse, à contempler les sommets de l'Ardèche, à parler vin, cuisine et musique (comme moi, il aime énormément Mozart mais a une préférence pour JS Bach).

Il prend le temps de m'expliquer les différences dans le paysage, car nous sommes à la limite entre les Cévennes et l'Ardèche ; les premières ayant été formées par les Pyrénées et l'autre par les Alpes.

— C'est très intéressant voyez-vous la géographie, et essentielle quand on doit connaître les sols.

Nous continuons à discuter jusqu'au moment où le soleil entame sa descente.

— Venez, dit-il, il est temps de rentrer.

Le chemin du retour est plus long, Jonathan s'arrête souvent pour reprendre son souffle ; je perçois maintenant la fragilité qui émane de ce géant dans un tremblement de la main, un pas parfois hésitant et une respiration laborieuse.

La condition humaine qui veut l'inéluctabilité de la mort des gens que j'aime m'est douloureuse.

Jonathan vient d'écrire dans le vent son véritable testament, et j'en suis la gardienne improbable.

C'est un joli secret, un peu triste sans doute, mais tellement lumineux.

Avant de monter dans la voiture, je me permets un geste d'intimité : je lui prends la main et lui souris.

— Merci, dis-je.

Merci de sa confiance et de ce bel héritage, merci pour cet endroit magique et enfin, merci pour Guillaume.

Tout est clair à présent, mais l'heure n'est plus aux confidences.

La mort m'a pris des êtres chers et je l'ai toujours traitée en ennemie ; Jonathan m'offre l'opportunité de changer mon point de vue, de la voir aujourd'hui comme un cadeau, l'apothéose d'une vie bien remplie, afin de pouvoir dire à ses héritiers quelque chose comme : « J'ai fait ce que j'ai pu, du mieux que j'ai pu, je te confie mon histoire et ce que j'en ai tiré. »

Nous sommes la somme des expériences de vie de nos parents, de nos grands-parents et de chacun de nos aïeux.

Nos choix se font en fonction de ce qu'ils nous ont appris et montré, mais aussi de ce qu'ils ont vécu et qui sont inscrits dans leurs gènes.

Les générations précédentes coulent dans nos veines, on l'oublie, et si le choix de notre destinée nous appartient, nous ne serions pas là sans eux et ce qu'ils nous ont transmis, en bien comme en mal !

C.G. Jung a dit : « Nous sommes des réponses à des questions non résolues de nos ancêtres. »

Et même si je refuse d'être celle qui réparera les erreurs de mes parents, je dois bien admettre que chaque geste que je pose, chaque choix que je fais, est dicté par ce qu'ils m'ont transmis.

Chapitre XIII

Minthé est assise sur le bord de la fontaine, ses cheveux blancs bouclés entourant son visage d'un halo de lumière.

Elle est habillée d'un jean confortable constellé de petites taches multicolores et d'un long chemisier en lin blanc légèrement transparent : féminité, simplicité avec un rien de provocation, ses longs colliers de pierre donnant à l'ensemble un ton bohème.

Ma cousine a quatre ans de plus que moi mais on lui donnerait moins que mon âge.

Elle se lève à mon approche et nous nous serrons longuement dans les bras.

Elle m'écarte et m'examine avec un sourire.

— Hooo ! Il y a du changement ! Qui est-ce ?

Je ris, perspicace ma cousine, puis lui propose de nous asseoir en terrasse afin de boire un verre.

Nous nous asseyons sous un grand parasol couleur soleil et je commence ma confidence d'un ton hésitant.

— En fait, je suis ici depuis pas mal de temps.

Elle hausse les sourcils mais attend la suite.

Mon aventure, que je raconte d'un bout à l'autre, me prend une bonne demi-heure. Minthé ne m'interrompt pas et se contente de ponctuer mon récit de quelques interjections d'encouragement.

À la fin de celui-ci, elle se lève et vient me serrer contre elle en me rassurant.

— Ne t'inquiète pas, je comprends. Le principal est que tu m'en parles maintenant et qu'on puisse enfin se voir ! Et puis je suis comme toi : quand ça ne va pas, je me renferme.

Elle se rassied en souriant et constate :

— Je ne sais pas si c'est toujours la meilleure solution, mais en tout cas, ça t'a réussi !

Puis elle prend un air de conspiratrice.

— Maintenant, parle-moi de ce Guillaume !

Je lui montre des photos et lui explique mon dilemme, enfin si on peut appeler ça ainsi, car oui je veux rester et non, je ne sais pas comment faire ni si c'est possible. Sans compter que j'ai peur de le regretter, même si partir serait encore pire.

Je lui décris aussi mes nouveaux amis avant d'en venir à Jonathan.

— Il me touche énormément, ce que je ressens, c'est une espèce d'amour filial.

D'après elle, j'ai un vide à combler de ce côté-là.

Je finis par lui demander :

— Et toi, les amours ?

Elle fait un grand geste du bras par-dessus la tête en soupirant et nous éclatons de rire.

Notre complicité reste la même, malgré la distance et le temps qui nous ont séparés.

Nous avons toujours été les deux moutons noirs de notre famille. Elle, par ce qu'elle est : une vocation de chaman est plus souvent prise comme une originalité extrême et non comme elle le devrait, c'est-à-dire un don, un métier tourné vers les autres, la nature et la terre.

Moi, à cause de ma révolte envers ma mère et mon besoin d'absolu et de justice, ce en quoi ma cousine me rejoint.

Le plus étonnant est que ce n'est qu'à l'âge adulte que nous nous sommes rendu compte de nos similitudes et de notre compatibilité, nous rapprochant enfin.

Je suis heureuse de la retrouver aujourd'hui et lui propose de rester cette nuit, la petite maison a un grand lit et passer la soirée avec ma sœur d'âme me ravirait.

Elle accepte avec plaisir.

Une heure plus tard, installées dans les transats au bord de la piscine naturelle, nous savourons le moment en silence.

Silence qui ne dure guère, nous avons des semaines et des mois de confidences à rattraper.

Grâce nous rejoint en fin d'après-midi, je l'ai prévenue de l'arrivée de Minthé qu'elle connaît de réputation, et elle brûlait de faire sa connaissance.

En les voyant s'embrasser pour se saluer, je suis frappée par la ressemblance entre les deux femmes : même halo de cheveux couleur de neige, même style vestimentaire qui se fiche des conventions. Et si Grâce n'était pas si petite et si menue face à ma cousine, je croirais observer des jumelles.

Bien entendu, nous parlons énergie et chamanisme.

La chaleur montant de plus en plus, nous plongeons dans le bassin et Minthé décide d'improviser un soin.

Elle me tient délicatement la tête pendant que je m'immerge dans l'eau claire.

La naïade en pierre semble sourire aux anges et j'ai la sensation de revenir dans le ventre maternel, chaud et protecteur.

Une façon pour moi d'avoir enfin un sentiment de sécurité dans les bras d'une mère bienveillante, me protégeant de tout durant neuf mois, même si, dans la réalité, je sais qu'elle aurait voulu m'éjecter dès mon premier battement de cœur.

Je pleure un peu, silencieusement, pendant que Minthé me berce doucement en soutenant mes épaules.

Il reste de la tristesse en moi, je dois accepter de vivre avec ce « non-désir » de ma venue au monde. Tout comme je dois apprendre à aimer (et m'aimer) sans condition, à faire confiance et non plus à fuir par peur d'être blessée.

Grâce nous quitte le soir venu ; elle a établi un joli lien avec ma cousine et elles se promettent de se revoir.

Après un coup de téléphone à Guillaume, je rejoins Minthé sur la petite terrasse.

Je constate :

— Encore une fois, tu as aidé quelqu'un d'autre et tu t'es oublié.

Elle rit.

— Tu sais bien que j'ai bénéficié du soin autant que toi !

— Oui, je sais, mais avoue que ce n'est pas la même chose. Je n'ai rien fait, tu m'as prise en charge. Et flotter ainsi sur l'eau avec le soin qui agissait, c'est une expérience incroyable !

— Heureusement qu'il faisait chaud, répond-elle avec un clin d'œil.

— Oui, mais ce n'est plus le cas, rentrons, dis-je en me levant.

Emmitouflées dans les plaids chauds, nous nous allongeons dans le divan près du feu.

Les petites tartes salées de Lucas accompagnées d'un vin blanc sucré sont délicieuses.

Finalement, Minthé me pose la question que je repousse depuis des semaines.

— Tu penses que tu seras capable de vivre loin de tes filles ?

— C'est bien là tout le problème !

Je soupire avant de continuer.

— J'y suis bien arrivée depuis trois mois. Et puis la petite est loin, tu sais qu'elle est à Paris. Avec son don en informatique, elle n'a eu qu'à se baisser pour trouver du boulot.

— Elle fait quoi exactement ?

— Elle crée des jeux vidéo pour une grosse boîte, un rêve pour elle qui passait sa vie là-dessus !

Ma cousine me regarde dans les yeux et demande :

— Et Blandine ?

— Oui, je sais, on se téléphone tous les jours, mais depuis qu'elle vit en couple, je ne la vois plus beaucoup, c'est très dur !

— C'est dur parce que tu es seule !

Je confirme en hochant la tête.

— Oui sans doute, mais c'est aussi l'idée d'être loin que je n'aime pas, s'il arrivait quoi que ce soit, je ne serais pas là.

Je la regarde tendrement.

— Tu m'as manqué !

— Toi aussi, répond-elle.

Elle prend ma main et la sert fort avant d'ajouter en souriant :

— Ça me plairait que tu vives ici.

Je la sermonne :

— Ah non, s'il te plaît, ne m'influence pas !

Le lendemain, nous nous séparons tristement après le petit déjeuner.

— Tu me tiens au courant n'est-ce pas, dit-elle.

— Promis ! dis-je avant de la regarder s'éloigner le cœur serré.

Guillaume doit arriver avant midi, il m'a proposé de m'emmener à la pêche.

Nous ne nous sommes plus revus depuis notre longue nuit de discussion et je sais qu'il attend ma décision.

Et dire que je pensais que la liberté équivalait à ne plus s'engager !

Croire que les circonstances extérieures déterminent ce que nous sommes était une belle erreur.

La vraie liberté c'est d'avoir le droit d'être qui on est.

Et la personne qui nous accepte ainsi, pleine et entière, vaut vraiment la peine qu'on s'y arrête.

Être libre, c'est ne plus se mentir, ne plus se cacher, ne plus avoir honte, ne plus regretter mais foncer, aller de l'avant le cœur vaillant, en confiance.

J'ai une pensée pour Charles ainsi que pour monsieur mon ex-mari et tous ces hommes que j'ai souvent cru (ou voulu croire) qu'ils étaient les bons.

Est-ce justement ce parcourt qui m'a menée à Guillaume ?

Ou bien n'est-ce que le destin qui, quoi qu'il arrive, nous mène toujours à bon port ?

À moins que ce ne soit que le hasard, un formidable coup de chance de pouvoir trouver la personne qui vous convient au moment opportun, comme si un papillon, en battant des ailes à l'autre bout de la terre, avait entraîné le basculement de la roue les événements qui m'ont menée ici ?

Chapitre XIV

La pêche à la mouche… un sport dans lequel je ne comprends rien, hormis le fait qu'on fait du mal à un poisson !

Connaissant déjà mon extrême sensibilité et ma virulence quand il s'agit de protection animale, Guillaume m'a assuré pêcher occasionnellement et uniquement pour se nourrir, ce que, à la rigueur, je peux tolérer, surtout quand je le vois debout dans l'eau, torse nu.

La sueur masculine n'a jamais remporté mon suffrage mais dans le cas présent, le spectacle des perles transparentes coulant le long de son dos musclé est fort plaisant…

Je m'assieds sur le bord de la rivière et le regarde pêcher en silence.

Je voudrais rester là à jamais, à admirer ses épaules brûlées par le soleil, ses muscles en mouvement accompagnant la danse de chaque lancer, à contempler son torse orné de poils gris avec l'irrésistible envie de les toucher, de les couler entre mes doigts.

Instant magique où je voudrais être peintre afin de figer dans le temps ce moment parfait.

Guillaume se tourne vers moi avec un sourire triomphant, un poisson dans la main.

Il se fige et me regarde fixement pendant une seconde d'éternité où je peux lire dans ses yeux la promesse qu'il m'a faite : celle d'être toujours à mes côtés quoi qu'il arrive, tant qu'il lui resterait un souffle de vie.

Je ne lui avais pas répondu, fermant la porte.

Mais à présent, je sais qu'il est trop tard pour résister, j'arrangerai les petits détails de ma vie pour être ici.

Comme s'il avait perçu le fond de ma pensée, il sort de l'eau, enlève la combinaison étanche qui protège son jean et s'avance vers moi.

Il se penche et m'embrasse doucement, allumant le feu que lui seul est capable d'éteindre, me privant de l'usage de mes jambes.

Après l'amour, il recouvre délicatement mes épaules avec sa veste et me serre contre lui, parlant bas contre mon oreille, la voix rauque :

— Regarde la nuit Dana, elle tombe doucement, c'est beau, c'est l'heure que je préfère.

J'acquiesce silencieusement : c'est l'heure entre chien et loup, on n'est plus tout à fait chien, pas encore vraiment loup. C'est le moment où l'on respire plus doucement, où le souffle s'apaise et où les rêves frappent à la porte. On n'a pas à choisir, juste à lâcher prise.

Il ajoute doucement :

— On est bien là non ?

Puis il prend mon visage entre ses mains et demande :

— Bon, tu me laisses entrer maintenant ?

Je lui réponds dans un souffle.

— Oui.

C'était donc si facile...

Chapitre XV

Cela fait presque une année que je vis ici.

Guillaume a tenu parole et a demandé à Jonathan de lui confier les foires de Belgique, me permettant de quitter mon pays en douceur.

Mes filles viennent souvent, mon aînée m'apprenant lors de sa dernière visite que j'allais être grand-mère, j'en ai pleuré de joie.

Elle et son compagnon envisagent d'acheter un petit Mas dans la région, afin de passer leurs vacances à mes côtés, étant aussi tombés amoureux de la région.

Ma cadette a repris ma maison en Belgique, partageant sa vie entre celle-ci, Paris et de brefs sauts en Ardèche.

L'année s'est écoulée doucement, j'ai quitté la maison de Grâce pour m'installer avec Guillaume, mon inséparable Lola trouvant sa place entre Socrate et Jésus qui semblent retrouver leur jeunesse à son contact.

Les fils de Guillaume m'ont accueilli à bras ouverts, même s'il m'a fallu un certain temps pour m'adapter à leurs absences incessantes. Bohèmes dans leurs habitudes, ils dorment là où le vent les mène quand ils ne sont pas à l'internat pour leurs études.

Le printemps vient de frapper aux portes de l'Ardèche et c'est aujourd'hui que je dois parler.

La veille nous a tous réunis autour du caveau, David et Jean, Guillaume et ses fils, Grâce, Lucas et Léo ainsi que les habitants du village, quelques grands noms dans le domaine du vin et le notaire de la famille : Pierre.

Et moi, à côté de Guillaume, pétrifiée par le départ de Jonathan, et pourtant heureuse de le savoir auprès d'elle, enfin.

J'ai eu le temps d'accepter l'inéluctable, le temps aussi de le connaître et de l'apprécier pleinement.

Jonathan m'avait encore emmenée quelques fois à la cabane, quand Guillaume était occupé par les vendanges.

Mais l'hiver venu, l'état de mon nouvel ami s'était détérioré, l'obligeant à rester confiné chez lui et ensuite, à s'aliter.

Je venais aussi souvent que possible, lui raconter mon installation ou lui faire la lecture d'un des merveilleux livres de sa bibliothèque, installée dans le vieux Chesterfield en cuir marron.

Sa préférence allait pour ce merveilleux poème de Victor Hugo qu'il me réclamait souvent, « Dans la forêt » :

« De quoi parlait le vent ? De quoi tremblaient les branches ?
Était-ce, en ce doux mois des nids et des pervenches,
Parce que les oiseaux couraient dans les glaïeuls,
Ou parce qu'elle et moi nous étions là tout seuls ?
Elle hésitait. Pourquoi ? Soleil, azur, rosées,
Aurore ! Nous tâchions d'aller, pleins de pensées,
Elle vers la campagne et moi vers la forêt.
Chacun de son côté tirait l'autre...
... Oh ! le profond printemps, comme cela rend fou !
L'audace des moineaux sous les feuilles obscures,
Les papillons, l'abeille en quête, les piqûres,
Les soupirs ressemblaient à de vagues essais,

Et j'avais peur, sentant que je m'enhardissais.
Il est certain que c'est une action étrange
D'errer dans l'ombre au point de cesser d'être un ange,
Et que l'herbe était douce, et qu'il est fabuleux
D'oser presser le bras d'une femme aux yeux bleus.
Nous nous sentions glisser vaguement sur la pente
De l'idylle où l'amour traître et divin serpente,
Et qui mène, à travers on ne sait quel jardin,
Souvent à l'enfer, mais en passant par l'éden.
Le printemps laisse faire, il permet, rien ne bouge.
Nous marchions, elle était rose, et devenait rouge,
Et je ne savais rien, tremblant de mon succès,
Sinon qu'elle pensait à ce que je pensais.
Pâle, je prononçais des noms, Béatrix, Dante ;
Sa guimpe s'entrouvrait, et ma prunelle ardente
Brillait, car l'amoureux contient un curieux.
Viens ! dis-je... — Et pourquoi pas, ô bois mystérieux ? »

Il souriait, ne me voyant plus, semblable à Victor Hugo se rapprochant de son Aurore, sachant déjà que l'éternité les réunirait.

Ma lecture terminée, il me prenait la main, murmurant « Chère amie » du bout des lèvres.

Cette amitié que nous savions de trop courte durée la rendait d'autant plus précieuse à nos yeux, nous apprivoisions la mort doucement, l'approchant à petits pas, lui, y allant inéluctablement, moi, apprenant à la regarder dans les yeux, non plus comme une ennemie mais pour ce qu'elle était, simplement.

Aujourd'hui, les larmes ont cessé de couler et je dois parler.

Je ne sais pas ce que Guillaume décidera ensuite, car comme dit l'adage, toute vérité n'est pas bonne à dire.

Jonathan a gardé son secret bien au chaud et il a eu raison, il voulait préserver sa famille d'un possible éclatement.

Était-ce lâche d'attendre sa mort pour tout révéler, de choisir un intermédiaire pour ramasser les pots cassés ?

Il n'est plus temps de tergiverser, aujourd'hui j'emmène mon amour découvrir la cabane de la montagne, à la rencontre du passé.

Chapitre XVI

Assis à l'arrière de la voiture, Jonathan luttait pour ne pas se retourner.

Mais ce fut plus fort que lui, il dut revoir le Mas, s'imprégner de son image avant de le perdre des yeux.

Il ne savait pas quand il le reverrait et déjà il lui manquait, tout comme les vignes, les arbres et la montagne.

Il allait avoir dix-huit ans et partait suivre ses études supérieures à Paris.

La Sorbonne était l'une des meilleures Universités de France lui avait dit son père.

Jonathan n'arrivait pas à être entièrement heureux de cette opportunité, car il était profondément, définitivement un homme de la terre, et ça, il le savait depuis toujours !

Petit déjà, il était solitaire, sauvage, préférant courir dans les forêts plutôt que passer du temps avec ses camarades d'école.

Rien n'égalait à ses yeux le bruit de la rivière se jetant sur les pierres pour se forger un chemin, ou le murmure du vent caressant la cime des grands arbres.

Mais ce qu'il aimait par-dessus tout, c'était se rendre au sommet de la montagne face à la maison pour, assis des heures durant, humer les odeurs portées par le vent. Parfois, un aigle lui faisait l'honneur de planer dans son champ de vision, lui donnant l'impression d'être un élu des Dieux, le Roi de sa montagne.

Ce jour qui le voyait partir pour quatre longues années, ne pouvant revoir son domaine qu'au compte-gouttes durant les vacances, lui semblait le plus triste de son existence.

Il se rassit et s'appuya contre le dossier de son siège en soupirant lourdement, ça allait être long !

Il se promit d'étudier le mieux possible, de réussir, afin de revenir au plus vite.

Alors plus jamais, il se le jura, il ne quitterait sa montagne !

Paris était magnifique, brillante et bien plus que séduisante, pourtant cette année-là, ce ne fut pas la Ville Lumière qui fit tourner la tête de Jonathan !

Sur le campus, il partageait sa chambre avec un garçon frêle et pâle qu'il fit sursauter en entrant sans frapper, croyant la pièce vide.

Car Jonathan passait difficilement inaperçu : il frôlait le mètre quatre-vingt-dix et possédait tous les aspects physiques des Vikings, des épaules larges et carrées, de longs cheveux blonds, une barbe dense de même couleur ainsi que des yeux bleus profonds.

Son compagnon de chambrée se nommait Pierre et était d'une intelligence redoutable ; sans se concerter, un accord tacite naquit entre eux.

Car si Jonathan en imposait par son physique, les études ne l'intéressaient que moyennement ; ce n'était pas par manque d'intelligence, loin de là, mais sa tête était ailleurs, perpétuellement plongée dans la nostalgie de son Ardèche natale.

Il peinait à étudier les résumés des syllabus que Pierre lui cédait volontiers, car son attention était attirée par le dehors, par une feuille planant devant sa fenêtre ou une odeur lointaine, son esprit alors s'égarait, volant par-delà les kilomètres pour se retrouver chez lui, au milieu de sa forêt qui lui manquait tant.

Reconnaissant de l'aide que Pierre lui apportait, il l'avait pris sous son aile, offrant à son ami une paix rare dans ce milieu estudiantin où les garçons souffreteux peinent à se plaire.

Ils visitèrent Paris, le Louvre, les Champs-Élysées.

C'était beau, bien sûr, mais Jonathan trouvait étouffant tout ce béton, ces immeubles.

Seuls les Jardins des Tuileries trouvèrent grâce à ses yeux, et encore, ils étaient trop propres, trop carrés pour lui qui ne respirait que par le sauvage, alors le plus souvent, quand il était seul, il se réfugiait au Bois de Boulogne, que Pierre ne voulait pas approcher.

Ce fut le Quartier latin qui les accueillit le plus souvent, ils apprirent à y boire de la bière, d'énormes quantités de bières, et bien que Jonathan trouvât le breuvage assez fade, lui qui avait grandi dans le vin, il accepta de rompre à la tradition, Pierre sur ses talons.

Ce jour-là, ils étaient en cours de littérature ancienne, et Jonathan découvrait Victor Hugo avec émerveillement, entendant ces mots qui résonnaient en son cœur comme un écho de sa vie :

« ... Arbres de ces grands bois qui frissonnez toujours,
Je vous aime, et vous, lierre au seuil des autres sourds,
Ravins où l'on entend filtrer les sources vives,
Buissons que les oiseaux pillent, joyeux convives !

Quand je suis parmi vous, arbres de ces grands bois,
Dans tout ce qui m'entoure et me cache à la fois,
Dans votre solitude où je rentre en moi-même,
Je sens quelqu'un de grand qui m'écoute et qui m'aime ! »

C'est en pleine rêverie que Jonathan sursauta, interrompu par un groupe de filles qui entraient dans l'amphithéâtre, en retard et se bousculant pour s'asseoir rapidement.

Agacé, il se retourna brusquement et resta muet devant le spectacle qui s'offrait à lui, car il s'agissait bien de ça : une mise en scène !

Elle s'appelait Victoire et sa peau était couleur d'ébène, ses longs cheveux crépus dansaient librement à chaque mouvement de tête, atteignant sa taille.

Il tomba amoureux de suite.

Elle était exubérante, bavarde et brillante et excellait dans tous les cours ; centre de toutes les attentions et de toutes les convoitises, il ne fut pourtant pas difficile pour Jonathan de gagner ses faveurs.

Car ils se ressemblaient, ils faisaient partie de ceux que l'on regarde avec envie et jouaient dans la même cour, il semblait naturel pour tout le monde qu'ils finissent par y danser ensemble.

Victoire venait d'une famille connue, ceux que l'on appelle communément les « nouveaux riches », cette nouvelle classe sociale remplaçant la haute bourgeoisie et ayant pris le pouvoir par la force de leur argent et de leurs entreprises.

Un père fabriquant des bijoux avec des pierres précieuses importées via la Belgique, revendus une fortune aux grandes dames et aux riches touristes des Champs-Élysées ; une mère artiste à ses heures exposant dans des galeries renommées, Victoire était habituée au luxe et à la vie facile.

Pourtant elle rêvait de liberté, et ce géant blond semblait vouloir la lui offrir, lui peignant son Ardèche et son Mas comme un paradis sur terre où chacun pouvait vivre comme il l'entendait.

Ils se ressemblaient oui, du moins en apparence : tous deux brillaient dans ces fêtes où n'était admis qu'un cercle restreint, huppé, où ils entraînaient Pierre trop heureux de pouvoir y entrer.

Mais quand Jonathan parlait du Mas, Victoire pensait en hectares et quand il vantait ses vins, elle pensait aux gains.

C'est là tout le drame de l'amour, on se renferme dans un monde idéal où n'existe que le désir et les rêves que chacun projette à sa façon.

Pierre voyait cela, mais ne disait rien, ils formaient un trio mal assorti où chacun pourtant trouvait son compte.

Ils ne se séparèrent jamais durant leurs quatre années d'études qu'ils réussirent brillamment, Jonathan plus difficilement que les deux autres mais sortant la tête de l'eau grâce au soutien de ses amis.

C'est durant la dernière année d'université que Jonathan fit sa demande, à genoux, en plein milieu du marché aux fleurs, un matin de mai.

Victoire accepta et Jonathan passa à son doigt le diamant acheté à son beau-père.

Aux vacances de printemps, il l'emmena faire la connaissance de ses parents.

Son exotisme surprit d'abord tout le monde, mais Victoire sut ravir le cœur de chacun par son énergie, son intelligence et son enthousiasme.

146

Ils célébrèrent leur mariage au Mas familial à l'automne, une fois leur diplôme en poche.

Les parents de Jonathan moururent l'année suivante, l'un à la suite de l'autre, laissant le jeune couple régner sur le Domaine qui grandissait, leur meilleur vin venant de gagner sa première médaille.

Très vite, Victoire attendit famille et l'annonça à son mari en donnant une fête majestueuse qui fut aussi une excuse pour faire connaître leur vin et le commercialiser plus largement.

Pierre était là, discret, omniprésent, continuant à les aider et les conseiller quand il le pouvait. Il avait choisi la profession de notaire, qui lui convenait bien, le gardant à l'ombre et loin des foules.

Ce genre de festivité ne lui plaisait pas plus qu'avant, mais il était invité d'honneur et futur parrain.

Victoire connaissait une multitude de gens, mais n'avait pas vraiment d'amis, c'est donc tout naturellement que la grand-mère maternelle devint la marraine du futur bébé.

Jonathan, n'étant pas dans la confidence, croyait à une « petite fête » entre amis, et il n'apprécia que moyennement cette débauche de luxe ; jeter l'argent par les fenêtres n'était pas dans sa nature ! Il s'apprêtait à sermonner discrètement sa femme quand elle annonça la nouvelle publiquement.

Il fut fou de joie, ce fut sa première et dernière tentative de contestation des dépenses de Victoire, il allait être papa, le reste n'avait plus aucune importance !

À quatre mois de grossesse, Victoire n'en pouvait plus…

— Amour, dit-elle à Jonathan, j'ai besoin d'aide, il me faudrait une femme de chambre. Sans compter que notre fils aura besoin d'une nounou, ne peux-tu trouver quelqu'un ?

C'est ainsi que Jonathan apprit, sans délicatesse, qu'il aurait un garçon !

Le lendemain, Jonathan s'apprêtait à quitter le Mas lorsqu'on frappa à la porte, il alla ouvrir et trouva leur jeune jardinier, Jean, se tenant embarrassé devant la porte.

— Bonjour, Jean, comment allez-vous ?

— Bonjour, Monsieur Jonathan ! Je vais bien, merci, merci, dit-il en se balançant d'un pied à l'autre.

— Alors, dites-moi ce qui se passe !

— J'ai entendu dire aux cuisines que vous cherchez une nounou, expira Jean très vite, comme si sa phrase lui demandait un effort immense.

— En effet, ça vous intéresse Jean ? répondit Jonathan en riant fort de sa blague.

Ce qui n'eut pas l'effet escompté sur Jean qui commença à rougir.

— C'est pour ma femme, Monsieur Jonathan : Claire.

— Dite-lui de se présenter samedi à onze heures, Victoire recevra les postulantes dans le petit salon.

— Merci, Monsieur Jonathan, elle y sera, merci, merci.

Claire était douce et effacée, elle plut immédiatement à Victoire qui n'aimait pas qu'on lui fasse de l'ombre et fut engagée dans l'heure, elle entrait au service de cette famille qu'elle ne quitterait qu'à sa mort.

Elle avait suivi des études afin de devenir professeur de musique, mais trop timide, avait renoncé à l'enseignement, qu'elle n'appréciait pas, pour se consacrer à son mariage.

Ce travail au Château lui permettait de rester aux côtés de son mari, tout en faisant quelque chose de sa vie.

Elle faillit regretter l'enseignement quand elle comprit que s'occuper d'une Victoire enceinte était parfois plus compliqué qu'enseigner les gammes à un adolescent !

Le petit David naquit un 12 novembre, un bon gros bébé couleur chocolat au lait et aux yeux bleus perçants, Claire oublia ses tourments en se consacrant à l'enfant.

Victoire aimait son fils, bruyamment, l'embrassant et le gâtant mais déléguant tout ce qui la dégoûtait ou fatiguait à Claire, elle n'était pas le genre de femme à être attendrie par les pleurs d'un petit bébé, bien au contraire.

Son énergie partit bien vite dans une autre direction, Victoire ayant besoin de s'enthousiasmer pour vivre heureuse.

Elle décida de consacrer son temps à la décoration du Mas, arrivant un jour surexcitée dans le bureau de Jonathan.

— Amour, j'ai une idée folle, tu vas adorer !

L'idée de Victoire était de transformer le Mas en « Château » par l'ajout de deux tours.

— Tu comprends, Amour, notre vin est un Château, ce sera merveilleux d'y vivre aussi !

Jonathan accepta, il aurait tout accepté ce jour-là !

Car il avait autre chose en tête, peu lui importait le Mas, l'argent et les folies de Victoire.

La veille, comme chaque soir depuis la naissance de David, il s'était rendu dans la chambre du bébé pour l'embrasser et le regarder dormir.

C'était un moment auquel il tenait, voir ce petit bout d'homme, son fils, endormi dans son berceau, un doigt dans la bouche.

Parfois, David était éveillé et le regardait de ses grands yeux bleus, puis, rassuré par la présence de son père, sombrait dans le sommeil, un sourire d'ange sur son visage rond.

Mais ce soir particulier, Claire y était encore.

Le bébé avait beaucoup pleuré, souffrant de coliques, et elle essayait de l'endormir en le berçant.

Elle se balançait doucement, assise dans le rocking-chair, le petit dans les bras et les yeux fermés, et chantait une berceuse au creux de son oreille.

Jonathan ne connaissait pas bien Claire, qui travaillait exclusivement au service de Victoire. Il l'avait croisé à plusieurs reprises, souriant de sa timidité devant ses yeux baissés, mais jamais jusqu'à ce jour, il n'avait pas pris le temps de la regarder.

Ses cheveux étaient coiffés en un carré strict contenant de grosses boucles brunes, carré trop strict d'ailleurs pour un visage aussi délicat, presque irréel pensa Jonathan, car sa peau était d'une blancheur laiteuse inhabituelle pour une femme vivant dans les montagnes.

Tout en elle exprimait la douceur, une douceur qu'en cet instant, elle offrait entièrement à ce bébé serré contre son cœur.

Jonathan bougea imperceptiblement et elle leva les yeux ; elle rougit violemment en le voyant l'observer mais ne baissa pas le regard, qu'elle avait gris et clair.

Jonathan y plongea entièrement.

Que dire lorsqu'on voit la beauté pour la première fois ? Celle qui émane de l'âme d'une personne au cœur pur.

Jonathan croyait la connaître mais là, ses yeux se dessillèrent, son cœur grandit et s'expansa tant, qu'il crut mourir.

Pour la deuxième fois dans sa vie, il lui sembla venir au monde.

Les travaux du Mas, renommé « le Château » par tous dès que les tours commencèrent à monter vers le ciel, durèrent deux ans.

Car Victoire ne s'en contenta pas, il fallut également moderniser les hangars et en créer un neuf, qui contiendrait de nouvelles cuves.

Deux années pendant lesquelles Jonathan se démena pour croiser Claire qui, de son côté, l'évitait du mieux qu'elle pouvait.

Il se cachait derrière la salle de musique, l'épiant lorsqu'elle s'asseyait devant le piano, choisissant des mélodies douces pour apaiser un David continuellement en colère.

Il en devenait fou, obsédé par ses yeux clairs et sa peau blanche, la trouvant d'autant plus désirable qu'elle lui résistait.

Bien sûr, il était tombé amoureux de Victoire, mais amoureux d'une énergie, d'un corps, et il ne se sentait pas coupable de désirer une autre femme.

Car pour lui il ne devait fidélité qu'à la vérité, et celle-ci était que son cœur et son âme tendaient vers Claire, il ne pouvait et ne voulait en aucun cas se mentir !

Il n'était même pas malheureux, car il savait qu'on ne peut lutter contre le destin quand celui-ci prend les rênes de votre vie, c'était plutôt le contraire, il était exalté, pressé de voir où celui-ci l'emmènerait.

Claire, tout comme lui, était une enfant du pays, et s'il avait pu regretter une chose, c'était de ne pas l'avoir rencontré plus tôt, avant Victoire, avant Jean.

Mais Jonathan était un homme du présent, et il avait très vite balayé ces pensées pour ne se consacrer qu'à une chose, la conquête de l'amour de sa vie.

Il savait qu'elle ne se rendrait pas sans lutter, elle était une femme de principe.

Il ne pouvait pas deviner que parfois, la nuit, Claire se réfugiait dans la chambre du bébé, espérant le voir arriver.

Elle se sentait honteuse de rêver de ses yeux bleus, d'imaginer ce que pouvaient être les caresses dans ses bras.

Claire avait épousé Jean par amour, pensait-elle, ils avaient grandi côte à côte, et leur mariage s'était décidé naturellement, lui apportant un bonheur simple et tranquille.

Alors elle était bouleversée par ce que Jonathan dégageait, cette force et cette passion qui la faisaient rêver.

Plus les mois passaient et plus Claire croisait Jonathan, par hasard…

Jusqu'à ce jour où, rangeant les assiettes dans le vaisselier, il entra sans bruit dans la salle à manger et la salua doucement.

— Bonjour, Claire.

La pile d'assiettes tomba de ses mains dans un fracas étourdissant.

— Ho, mon Dieu, mon Dieu, je suis désolée ! gémit Claire en se baissant pour tout ramasser.

Jonathan s'avança pour l'aider mais les pas de Victoire accourant au bruit le coupa dans son élan, il eut juste le temps de lui souffler à l'oreille quelques mots, des mots qui allaient changer leur vie à tout jamais.

— Demain à neuf heures, au pied du sentier de la Croix Blanche.

Le lendemain matin, Claire tremblait, autant de peur que d'excitation.

Elle redoutait le moment où elle se retrouverait seule face à Jonathan.

D'ailleurs, allait-elle y aller ?

C'était trop dangereux, complètement fou.

Elle avait mis deux ans à faire tomber ses barrières, même si, depuis le premier jour, il avait gagné, elle devait l'admettre.

Et Jean ? Son mari ne méritait pas ça, elle ne le méritait pas.

Penser à un autre homme n'aurait jamais dû arriver, se disait-elle en changeant la couche du bébé qui gazouillait de bonheur.

David sentait bon l'eau de Cologne et était habillé à grands frais, Victoire l'emmenait chez des amis.

Claire pensa encore : il le savait, bien entendu, quand il lui avait donné ce rendez-vous.

Elle plaça le bébé dans sa nacelle et alla l'installer dans la voiture où Victoire attendait, impatiente.

— Voilà, Madame, David a mangé et je l'ai changé. J'ai mis des couches dans...

Victoire l'interrompit.

— Merci, Claire.

Elle démarra sans rien ajouter, laissant Claire au pied des marches, toujours hésitante.

Il n'était que huit heures trente, il n'était pas trop tard.

En une fraction de seconde, sans plus réfléchir, elle courut avertir Jean qu'elle partait en course et prit leur petite voiture le cœur battant.

Elle roula sur les routes étroites beaucoup trop vite, priant de ne croiser personne dans les tournants serrés à flanc de montagne.

Quand elle arriva enfin, Jonathan était déjà là.

Galamment, il ouvrit la portière de la voiture et lui prit la main pour l'aider à descendre.

— Claire...

Elle ne put répondre, un nœud dans la gorge l'empêchant de parler, le cœur au bord de l'implosion.

Plus rien ne comptait que les yeux bleus la regardant, elle n'entendait plus aucun bruit, aucun son, autour d'elle le monde avait cessé d'exister.

— Venez, dit-il.

Il n'avait pas lâché sa main.

Ils marchèrent un long moment sur le chemin côte à côte, n'osant ni se regarder ni prononcer un mot.

Puis Jonathan coupa à travers bois, l'entraînant vers un lieu connu de lui seul.

Ils sortirent enfin de la forêt et Claire découvrit, étonnée, une cabane précédée d'arbres et de sapins de toutes sortes et tous âges.

Jonathan s'arrêta.

— C'est pour vous, je viens ici depuis que j'ai sept ans. Chaque année, je plante de nouveaux arbres. Mais depuis que je vous ai vue…

Il s'interrompit un instant, ému.

— Depuis ce jour, j'espère vous emmener ici. Je voulais que ce soit parfait, que vous ayez envie de rester.

— Jonathan…

Elle se tourna vers lui le cœur battant, étourdie par sa déclaration.

Il plongea dans ses yeux si clairs et s'approcha doucement, comme s'il craignait qu'elle ne s'enfuît.

Il prit délicatement son visage entre ses mains et l'embrassa.

Elle répondit à son baiser avec délice.

Ne pouvant plus se contenir, il la prit par la main et l'entraîna dans la petite maison où il se laissa emporter par sa passion, entraînant Claire dans un tourbillon de plaisir qui fit résonner les flancs de la montagne.

Ils restèrent longtemps enlacés, Jonathan s'endormant contre son ventre et Claire le regardant tendrement, consumée d'amour pour cet homme passionné.

Une passion qu'il lui offrait, exclusivement, lui apportant une force qu'elle ignorait avoir.

Elle finit pourtant par le repousser doucement.

— Jonathan, il faut rentrer.

Il sortit du sommeil avec un sourire lumineux et la regarda tendrement.

— Dis-moi que tu reviendras.

Elle répondit simplement.

— Oui.

Puis elle se leva en cachant pudiquement sa nudité avec sa robe.

— Tu es magnifique.

Elle sourit, gênée.

Elle s'habilla puis alla s'asseoir sur le rebord du lit, caressant la joue de Jonathan en le regardant fixement.

— Jonathan, Jean ne doit jamais savoir, personne ne doit savoir.

— Je sais. Ce sera notre secret Claire.

Elle acquiesça.

Avant de prendre le chemin du retour, il l'entraîna vers l'arrière de la cabane, sortit son canif de sa poche, et grava un cœur dans le bois. Elle sourit, lui prit le couteau des mains et y ajouta leurs deux noms.

Ils reprirent le chemin du retour silencieusement.

Chacun reprit ensuite sa voiture et Claire partit faire des courses pour sauver les apparences.

Ce ne fut pas facile de se retrouver, car Victoire était souvent absente, ce qui obligeait Claire à rester auprès du bébé.

Il y avait aussi Jean, sensible et intuitif, comme le sont souvent les personnes qui soignent les fleurs.

Les roses étaient sa passion, il en avait planté devant le Château et s'essayait à la création de nouvelles variétés, participant aux foires et aux concours.

Au fond de lui, il sentait Claire différente, ne sachant définir si c'était bon ou mauvais.

Peut-être s'habituait-elle simplement à la vie au Château car, timide et discrète, ça avait été difficile pour elle.

À présent, elle souriait, jouait souvent du piano et riait avec le petit David.

Son instinct maternel était sans doute comblé par l'enfant.

La vie continua son cours, les vendanges arrivèrent, puis l'hiver, long et particulièrement rigoureux, qui rendit les chemins impraticables.

Claire tomba malade, en dépression, maigrissant à vue d'œil.

Comment Jean aurait-il pu deviner que c'était Jonathan qui lui manquait, qu'il lui tardait que le beau temps revienne pour retrouver la cabane, que sans lui elle manquait d'air ?

Elle ne pouvait le voir car elle avait instauré cette règle incontournable : ils ne devaient se retrouver que là-haut, car elle pensait que c'était trop risqué dans le Château, où on pouvait les apercevoir.

Pourtant, une nuit, n'y tenant plus, Jonathan alla la retrouver dans la nursery.

— Jonathan, non, pas ici ! On était d'accord !

— Tu me manques Claire, je vais devenir fou…

Il voulut s'approcher mais elle resta ferme.

— Non !

Malgré tout l'amour qu'elle avait pour lui, elle savait que de son silence dépendait son avenir, tout comme celui de Jean.

Victoire l'aurait jeté dehors et aurait exigé le départ de Jean, et quand bien même cette dernière serait partie, Claire ne voulait pour rien au monde faire du mal à son mari.

Car elle se sentait horriblement coupable.

Elle avait grandi avec Jean, ils s'étaient juré fidélité en se mariant et Jean faisait de son mieux pour la rendre heureuse.

Elle ne voulait pas gâcher ce bonheur qu'il méritait, le pensant heureux et comblé.

Elle ne savait pas qu'il ne se trouvait pas à la hauteur, qu'il était malheureux, gardant pour lui un lourd secret et vivant un drame personnel.

Après deux ans de mariage, il s'était rendu à la Clinique de Lyon, chez un spécialiste, pour passer une batterie de tests.

Ce dernier avait été formel, Jean était stérile.

Il lui avait fallu beaucoup de courage pour rentrer, encore plus pour résister à l'appel du vide en passant sur chaque pont.

Pourtant il était revenu chez lui, gardant le silence et priant chaque soir qu'un miracle se produise. Dieu là-haut avait dû l'entendre, avoir pitié de lui. C'est du moins ce dont il se persuada quand ce matin de printemps, Claire lui annonça qu'elle attendait famille.

Il prit cette grossesse comme un cadeau du ciel, ne posant aucune question.

Margaux naquit le jour de Noël, comme pour confirmer le don, et Jean l'aima à la folie, occultant le fait qu'elle était blonde comme les blés et que ses yeux étaient du même bleu que ceux du petit David.

La petite fille grandit avec ce dernier, puis Guillaume, le fils de leur vigneron, vint s'ajouter à leur duo.

Jonathan se fit plus discret, il se consumait d'amour pour Claire mais ne parvenait à la voir que peu souvent, il arrivait parfois que des mois séparent leurs rencontres.

Il aurait voulu hurler sous la lune, faire l'amour avec elle des nuits entières, l'installer dans son lit et dans sa vie, mais il ne pouvait pas.

Et tout ce qu'il contenait en lui le rendait malade, de plus en plus, l'assommant de bronchites et de pneumonies à répétition.

Alors il décida de trouver une autre façon de s'exprimer, de lui crier son amour.

Ce soir-là, Claire s'était enfin libérée, les enfants restant dormir chez le petit Guillaume.

Jonathan l'attendait avec un sourire mystérieux.

Il attrapa sa main et l'entraîna sur la terrasse.

— Oh ! Mais qu'est-ce que c'est que ça ! s'exclama Claire, découvrant un Cor des Alpes imposant, posé tel un trophée triomphal, face au mont du Château.

— À la tombée du jour, et si je peux chaque jour qu'il me restera à vivre, jusqu'à ce que mes jambes ne me portent plus, je viendrai ici. Et je jouerai pour toi mon amour.

— Mais Jonathan, pourquoi ?

— Tu me demandes pourquoi ? Pour que tu n'oublies pas, jamais, que chaque soir tu saches que je ne pense qu'à toi. La musique, c'est toi, les montagnes, c'est moi.

— Et ainsi nous serons toujours réunis, dit Claire.

Puis, elle se mit à pleurer silencieusement.

— Je veux que la montagne sache que tu es là, dit-il. Il frappa sur son cœur avec le poing.

Il tint parole, venant à chaque fois qu'il le pouvait, imaginant Claire à la fenêtre de la nursery, avec ses enfants.

Il souffla dans le Cor tout ce qui comprimait son cœur, tout ce qu'il ne pouvait exprimer avec des mots, il souffla jusqu'à brûler ses poumons, le son de l'instrument bondissant d'un Mont à l'autre, faisant grandir la légende du sorcier.

— Je t'en prie Pierre, entre.

Jonathan précéda son ami dans la bibliothèque et l'invita à s'asseoir dans un des grands fauteuils en velours rouge.

Sur la table basse, une bouteille du meilleur cru du Château décantait.

— Tu me fais honneur, dit Pierre, mais permets-moi d'abord de te présenter mes condoléances pour le décès de votre dame de compagnie... excuse-moi mais je n'ai pas le souvenir de son nom.

— Claire.

— Oui, c'est cela, mais dis-moi, pour quelle raison m'as-tu fait venir, et pourquoi tout ce mystère au téléphone ?

— Je vais tout t'expliquer, mais ça risque d'être long. C'est pourquoi j'ai fait préparer ce déjeuner. Victoire est sortie, nous pourrons parler librement.

— Tu commences à me faire peur...

Jonathan leur servit généreusement du vin et s'assit.

Ils burent une première gorgée silencieusement, en connaisseur, puis Jonathan se lança.

— Tu me connais depuis longtemps, et tu as assisté à ma rencontre avec Victoire. Je ne te ferai pas l'affront de te demander ce que tu penses de ce mariage.

Il leva la main pour arrêter Pierre qui allait répondre.

— Non, je ne te le demande pas parce que je le sais ! Tu sais que la famille compte plus que tout pour moi, surtout ma descendance. C'est bien là tout le problème, mon ami.

Pierre le regarda avec étonnement.

— Que veux-tu dire ?

— Je vais te raconter une histoire, une belle histoire que je te demanderai, en tant que Notaire de la famille, de garder secrète.

— Tu peux compter sur moi.

— C'est l'histoire de ma vie Pierre, la seule qui ait vraiment de l'importance, je suis un homme heureux, du moins je l'étais. J'ai aimé à la folie mon ami et je ne regrette rien. Seulement, maintenant, je dois faire les choses correctement.

Jonathan entama le récit de sa rencontre avec Claire, de la naissance de Margaux et leur choix de garder cet amour caché.

Pierre l'écouta sans l'interrompre, haussant les sourcils de temps à autre.

Quand Jonathan eu terminé, il lui demanda :

— Pourquoi me racontes-tu ça ?

— D'abord parce que tu es mon ami et que j'ai confiance en toi. Ensuite parce que je veux que tu rédiges mon testament.

Pierre se leva et se mit à arpenter la bibliothèque nerveusement.

— Je crois comprendre mais… tu ne vas pas scinder le Domaine tout de même ?

— Il est déjà scindé ! Grâce à toi d'ailleurs, cette idée de Coopérative nous a permis de devenir ce que nous sommes aujourd'hui. Tu ne vas t'en plaindre, c'est toi qui as le plus de parts ! Et puis, crois-moi j'ai bien réfléchi pour trouver la meilleure solution.

Ils discutèrent longtemps des termes du document.

Le Château reviendrait à David, pour Jonathan, ce n'était que pure logique en sachant que c'était Victoire qui en avait fait ce qu'il était aujourd'hui.

Cependant, les vignes privées du Domaine seraient divisées entre ses deux enfants, David recevant deux tiers et Margaux un tiers.

En sachant que la moitié des terrains faisaient partie de la Coopérative, Margaux bénéficiait déjà des parts de son mari, Guillaume.

Quant au terrain de la cabane, il le léguait dans sa totalité à Margaux.

— Vois-tu mon ami, je dois t'avouer que depuis qu'elle est partie, je ne vis plus, je survis.

Il soupira et leur resservit du vin.

— Allons, Pierre, mange, que ceci ne te coupe pas l'appétit.

Ils finirent leur déjeuner en silence, puis Pierre prit congé en promettant de contacter Jonathan dès que le document serait prêt pour la signature.

— Je trouverai des témoins discrets, ajouta-t-il.

Une fois son ami parti, Jonathan s'enferma dans la bibliothèque. Il ouvrit un tiroir de son bureau avec une petite clé cachée sur une des bibliothèques et en sortit un petit mouchoir de dentelles blanches.

Il le porta à son visage et le respira doucement, fermant les yeux un instant.

Claire était partie sur la pointe des pieds, aussi discrète dans la mort qu'elle l'avait été dans la vie.

Un cancer dépisté trop tard, elle avait refusé la chimio, elle voulait rester digne et accepter son destin.

Margaux venait de se marier et c'était tout ce qu'elle voulait, que sa fille soit heureuse.

Jonathan avait profité d'une absence de Jean pour venir la voir à l'hôpital une dernière fois, c'était leur ultime rendez-vous et ils l'avaient passé main dans la main, en silence, se regardant sans se lâcher du regard un instant, Claire puisant dans ses dernières forces.

Jonathan soupira et rangea le mouchoir dans le tiroir qu'il referma à clé.

— Voilà, mon amour, c'est fait, notre fille est à l'abri.

Quand il sortit de la pièce, Jean l'attendait dans le grand hall.

— Oui, Jean ?

— Monsieur Jonathan, une merveilleuse nouvelle. Après ce malheur, la vie continue : je vais être grand-père, Margaux attend un petit !

Épilogue

Le son du Cor retentit et bondit sur le flanc des monts, s'invitant dans la cuisine.

J'aime à penser que sa musique vibre un peu pour moi, même si je sais que ce n'est pas le cas.

Guillaume a pris le chemin de la Croix Blanche après le déjeuner et s'est attardé plus longtemps que d'habitude. C'est l'anniversaire de Margaux aujourd'hui, elle aurait eu soixante ans, elle n'aura jamais vieilli.

C'est un bel hommage que lui rend Guillaume, tout comme à Claire et Jonathan, le Cor et lui ne formant plus qu'un quand vient le soir, perpétuant cette petite musique de nuit, immortelle mélopée du sorcier de la montagne.

Je relis une dernière fois le poème que je viens d'écrire :

Tu te lèves, tu te laves,
Tu penses que tout va bien,
Tu siffles en écoutant Mozart,
Sous la douche du matin.
Pendant qu'à l'autre bout du globe,
Un papillon s'envole,
Tu penses au cas d'école,
De tes amours chagrins.

Faut-il les détruire,
Ou suivre dans le vent,
Tous ces bruissements d'ailes,
Ces frémissements du temps,
De papillons brillants
Qui ignoraient pourtant,
Ce que peut être Mozart
Ou la marche des ans ?
Eux qui croyaient voler
Demeuraient inconscients,
D'incarner le destin
Qui planait vers les gens.
Vous savez bien qu'en cage,
On ne peut mettre le vent,
Dit ce proverbe sage,
Venus du fond des temps.

Je suis contente de moi, il reflète le fond de ma pensée et à mon sens, résume ma destinée.

L'après-midi touche à sa fin et je sors du four un gâteau au chocolat confectionné pour la venue de mes filles le lendemain.

Lola me regarde en balayant le sol de sa queue.

— Pas question, ma belle, pas de chocolat pour les chiens !

Je place le gâteau en hauteur et me dépêche d'aller prendre une douche.

Il est temps de me préparer, Grâce et Lucas vont m'attendre. Guillaume nous rejoindra plus tard.

Ce soir, c'est le bal du village, et j'ai bien l'intention de danser jusqu'à ce que mes jambes ne me portent plus.

Remerciements

Merci à ma très chère collègue et correctrice, Fabienne, elle m'a évité pas mal de coquilles et a fourni un véritable travail de fourmi.

Merci à mon frère, Philippe, pour ses enseignements sur l'Ardèche, sur place qui plus est !

Merci à ma sœur, Minthé, qui a accepté que je la mentionne, avec tout mon amour.

Merci à mon ami Théo, pour ses conseils sur le vin accompagnés de dégustations.

Merci à ma gentille Manon qui m'a permis de revoir et d'améliorer le fond.

Merci à ceux qui ont continué à m'encourager.

Et enfin, merci à ce baiser sur cette route de campagne, j'ai créé Guillaume en pensant à ce moment si particulier qui continuera d'illuminer le reste de ma vie.

Imprimé en Allemagne
Achevé d'imprimer en Novembre

2020 Dépôt légal : Novembre 2020

Pour

Le Lys Bleu Éditions
83, Avenue d'Italie
75013 Paris